Line Cardinal

# LE SUCCÈS AU TRAVAIL

## Sélection, socialisation et rétention du personnel

Guérin Montréal Toronto
4501, rue Drolet
Montréal (Québec) H2T 2G2 Canada
Téléphone: (514) 842-3481
Télécopieur: (514) 842-4923
Courriel: francel@guerin-editeur.qc.ca
Site Internet: http://www.guerin-editeur.qc.ca

Dépôt légal

ISBN-13 : 978-2-7601-6929-6
ISBN-10 : 2-7601-6929-6

Bibliothèque nationale du Québec, 2006
Bibliothèque et Archives Canada, 2006

imprimé au Canada

*Révision linguistique* Jolyane Arsenault

Nous reconnaissons l'aide financière du gouvernement du Canada par l'entremise du Programme d'Aide au Développement de l'Industrie de l'Édition (PADIÉ) pour nos activités d'édition.

Canada

« Gouvernement du Québec – Programme de crédit d'Impôt pour l'édition de livres – Gestion SODEC »

# TABLE DES MATIÈRES

## Chapitre 2: *La socialisation organisationnelle* *73*



## Chapitre 3: *La rétention du personnel* *141*

# INDEX DES TABLEAUX

# INTRODUCTION

Le succès, terme galvaudé s'il en est un, renvoie pourtant à un objectif enviable qu'une majorité souhaite atteindre.

Lorsqu'on l'associe à l'univers du travail, la notion de succès prend une connotation différente selon qu'on l'analyse sous l'angle de l'organisation ou des individus qui y travaillent. D'un point de vue organisationnel, le succès est d'abord synonyme de productivité et de rentabilité financière. Pour l'individu, la réussite professionnelle correspond généralement à l'évolution de la carrière et aux bénéfices qui s'y rattachent.

Dans un cas comme dans l'autre, force est de reconnaître que le succès est devenu plus difficilement accessible et que les conditions qui le favorisent ont considérablement changé en raison des bouleversements économiques des dernières années.

Du côté de l'individu, le succès repose dorénavant sur sa capacité de décrocher un emploi à sa mesure et de le conserver dans un contexte où l'employabilité est la seule forme de sécurité d'emploi. Le succès suppose également d'effectuer des transitions gagnantes en vue de faire progresser sa carrière alors que les transformations dans les structures organisationnelles ont pour effet de limiter les opportunités d'avancement hiérarchique. De surcroît, la réussite professionnelle nécessite de plus en plus que la personne prenne en charge la gestion de sa propre carrière, compte tenu que les organisations auraient tendance à abdiquer de cette responsabilité.

Du côté de l'organisation, le succès réside principalement dans sa capacité d'innover et de s'adapter à un environnement turbulent. Les avancées technologiques, la globalisation des marchés, l'évolution démographique ne sont que quelques-uns des paramètres avec lesquels les organisations doivent composer quotidiennement pour demeurer compétitives, voire assurer leur survie. Afin de répondre à cette évolution rapide, les organisations n'ont d'autre choix que de miser sur des ressources humaines de qualité qui détiennent les compétences clés et la polyvalence dont elles ont besoin pour s'adapter.

Dans cette optique, le succès organisationnel repose d'abord sur l'ensemble des talents et des compétences et sur la capacité de mettre en œuvre ces compétences de manière à réagir adéquatement et promptement aux pressions de l'environnement. Le succès passe également par des pratiques de gestion mobilisatrices en vue de renforcer l'adhésion à la mission et aux objectifs de l'entreprise de personnes devenues plus indépendantes et mobiles en raison de la rupture du contrat psychologique traditionnel. Dans un climat de vive compétition pour le talent, le succès dépend non seulement de la capacité de l'organisation d'attirer et d'embaucher des ressources hautement qualifiées, mais très certainement de sa propension à les conserver.

De fait, il existe à l'heure actuelle un consensus très clair dans la documentation suivant lequel la rentabilité économique de l'organisation est directement imputable au fait de considérer les ressources humaines comme une priorité et de les gérer en conséquence. Plusieurs experts en management reconnaissent d'emblée la primauté du facteur humain dans la gestion d'entreprise. De toute évidence, les entreprises qui auront du succès dans le troisième millénaire sont celles pour qui les ressources humaines représentent l'atout le plus important et qui adoptent des pratiques de gestion congruentes à cette philosophie.

Quelles sont les pratiques de gestion des ressources humaines qui peuvent permettre d'optimiser la contribution des employés à l'atteinte des objectifs organisationnels? Quelles sont les compétences qui sont susceptibles de procurer à l'organisation la flexibilité nécessaire à son succès et comment peut-elle procéder pour les acquérir? Comment susciter l'adhésion des employés à la culture d'entreprise et favoriser la rétention des meilleures ressources? Et surtout, comment concilier les besoins individuels aux intérêts organisationnels dans un contexte de rapports employeur-employé renouvelé?

Dans cette optique, le présent ouvrage traite du processus d'acquisition des ressources humaines en regard de trois composantes: la sélection, la socialisation et la rétention du personnel. L'objectif est de décrire et de démontrer, études scientifiques à l'appui, comment certaines pratiques de gestion des ressources humaines relatives à chacun de ces trois domaines peuvent contribuer à favoriser le succès au travail. Dans ce livre, l'expression «succès au travail» désigne autant la réussite recherchée par les organisations que par les individus qui la composent, et ce, dans une optique d'harmonisation des besoins individuels et des intérêts organisationnels.

Pour ce faire, chacun des trois chapitres comporte deux parties qui traitent respectivement des composantes étudiées selon une perspective organisationnelle et individuelle. Cette structure en deux volets a pour but de faire ressortir les enjeux qui se posent de chaque côté et de mettre en évidence l'interface individu-organisation dans la poursuite d'un objectif commun: le succès au travail.

Dans le premier chapitre consacré à la sélection, la perspective organisationnelle propose une démarche d'acquisition des ressources humaines qui intègre l'approche des compétences à celle de l'évaluation de la compatibilité entre l'individu et l'organisation; la perspective individuelle traite des dispositions psychologiques des candidats à l'égard du processus de sélection.

Le chapitre sur la socialisation explore, dans un premier temps, diverses méthodes par lesquelles les organisations peuvent sensibiliser les nouveaux employés à leur culture et influencer le déroulement de la carrière; la perspective individuelle analyse le phénomène complexe du succès en carrière eu égard aux transformations dans l'univers de l'emploi.

Enfin, le chapitre sur la rétention propose, en première partie, une approche diagnostique et des stratégies destinées à fidéliser le personnel de valeur; la deuxième partie réservée à la perspective individuelle présente différents modèles qui visent à expliquer comment l'intention de quitter un emploi peut se manifester chez un employé.

# Chapitre 1

# *La sélection*

# Partie 1

## *Perspective organisationnelle: La démarche de sélection*

Traditionnellement, le processus de sélection vise à choisir, parmi un ensemble de candidats, celui qui répond le mieux aux exigences d'un poste à combler. Le rationnel sous-jacent consiste à apparier certaines des caractéristiques d'une personne, à savoir ses aptitudes, habiletés et connaissances, aux exigences du poste. Dans cette optique, l'efficacité de la sélection repose sur l'exactitude de la correspondance entre les caractéristiques de la personne et celles d'un emploi. Plus la correspondance est élevée, meilleures sont les probabilités que le candidat fournisse un bon rendement une fois embauché. Le but ultime de la sélection est donc de prédire le succès en emploi en évaluant le degré de compatibilité entre une personne et le poste à pourvoir.

Cette conception rationnelle et objective de la sélection est celle qui a prévalu et qui prévaut encore dans bon nombre d'organisations. Néanmoins, en raison des mutations dans l'univers de l'emploi et des facteurs qui favorisent désormais le succès organisationnel, ce modèle classique, sans être totalement révolu, semble de moins en moins pertinent ou suffisant.

En effet, plusieurs grandes organisations se sont déjà départies de la coordination hiérarchique traditionnelle pour adopter des structures décentralisées basées sur des équipes autonomes ou semi-autonomes. On assiste de plus en plus à une démocratisation de la gestion à travers le partage des pouvoirs et un accroissement de la responsabilité individuelle. Dans cette foulée, on exige que les employés prennent des initiatives et développent une certaine polyvalence de manière à pouvoir changer de rôles selon l'évolution des besoins de l'organisation. Dans ces entreprises, la notion de tâches est beaucoup moins rigide et hermétique qu'auparavant. On parle davantage de rôles ou d'interchangeabilité des rôles pour décrire le contexte dans lequel les employés sont appelés à évoluer. Dès lors, on ne se limite plus à embaucher des personnes qui vont bien performer dans un poste spécifique. On recherche davantage des candidats polyvalents capables d'exercer différents rôles et de répondre aux exigences de flexibilité et d'innovation de l'organisation. En somme, le décloisonnement des structures, la prolifération du travail en équipe et le partage des responsabilités contribuent à favoriser une approche de la sélection qui tienne compte des contingences actuelles et qui soit adaptée aux critères de succès contemporains. De fait, la notion de succès en emploi a considérablement évolué au cours des 20 dernières années au point de devenir un concept multidimensionnel qui englobe diverses facettes réputées pour leur impact sur l'efficacité organisationnelle. Ainsi, la notion de succès au travail inclut désormais des aspects qui ne sont pas précisés dans la description de tâches classique mais qui sont néanmoins jugés importants pour l'atteinte des objectifs organisationnels. Parmi ceux-ci, les comportements et les attitudes qui favorisent la performance dite contextuelle (Borman et Motowildo, 1993) tels que la collaboration spontanée avec les collègues, la défense des intérêts de l'organisation et les comportements de citoyenneté organisationnelle sont dorénavant prisés par les employeurs.

Outre ces facteurs qui sont reliés au rendement individuel, force est de reconnaître que l'efficacité organisationnelle passe également par la satisfaction des besoins des employés et par leur bien-être psychologique (Morin *et al.*, 1994). Cette conception psychosociale de l'efficacité milite en faveur d'un arrimage entre les dimensions psychologiques de l'individu (besoins, valeurs, personnalité) et les caractéristiques de l'environnement de travail dont la culture et le climat organisationnels (Bowen *et al.*, 1991).

Il appert donc que la simple adéquation entre les aptitudes/habiletés de l'individu et les exigences d'un poste soit insuffisante pour rendre compte du succès en rapport avec l'ensemble des dimensions organisationnelles (Tziner *et al.*, 1993). La prédiction du succès, non plus seulement dans un emploi donné mais bien à l'intérieur d'une organisation, nécessite de recourir à une approche de sélection plus globale qui permet d'appréhender le caractère multidimensionnel du succès en tenant compte de toutes les caractéristiques individuelles susceptibles d'y contribuer.

Dans cette perspective, la première partie de ce chapitre est consacrée à l'exploration d'une démarche de sélection qui intègre deux courants complémentaires: l'approche des compétences et la compatibilité individu-organisation (C-I-O).

Une incursion dans l'approche des compétences permettra, dans un premier temps, de mettre en exergue et de décrire un ensemble de caractéristiques individuelles retenues en fonction de leur relation présumée avec les nouveaux critères de succès en emploi. Nous présenterons ensuite un modèle d'évaluation des candidats basé sur le principe de la compatibilité entre l'individu et l'organisation (C-I-O). Après avoir exposé les fondements de ce modèle et défini les différentes conceptions qui s'y rattachent, nous dresserons un bilan de ses conséquences dans l'entreprise, études scientifiques à l'appui. Nous décrirons ensuite les principales étapes d'une démarche globale de sélection qui porte sur l'évaluation de la compatibilité entre les compétences de la personne et l'environnement de travail. Pour conclure cette section, nous proposerons une réflexion sur les défis et enjeux relatifs à l'utilisation du modèle de la C-I-O dans le cadre de la sélection du personnel.

## L'approche des compétences

Grâce notamment aux travaux d'experts tels que Boyzatis (1982) et Spencer et Spencer (1993), l'approche des compétences s'avère un outil de gestion indispensable pour permettre à l'organisation d'assurer la qualité des ressources qui vont contribuer à l'atteinte de ses objectifs. Effectivement, la notion de compétence est généralement définie comme une caractéristique sous-jacente de l'individu qui intervient dans le rendement au travail. L'expression de caractéristique sous-jacente signifie qu'une compétence représente une dimension relativement stable de la personne, à savoir un ensemble de connaissances, d'habiletés, de traits de personnalité (y compris le concept de soi) et de motivations qui permettent de distinguer entre une bonne performance et une performance médiocre au travail (Spencer et Spencer, 1993). Une telle définition révèle déjà tout le potentiel de la notion de compétence comme levier fondamental de la gestion des ressources humaines et notamment de la dotation qui peut désormais s'appuyer sur un répertoire de compétences génériques, c'est-à-dire de caractéristiques essentielles au succès dans l'ensemble des fonctions de l'organisation. L'intérêt et l'utilité de la notion de compétence en rapport avec la gestion des ressources humaines résident précisément dans le lien de causalité que les caractéristiques individuelles que sont les aptitudes, les traits de personnalité et les motivations entretiennent avec le succès au travail.

Spencer et Spencer (1993) utilisent l'image de l'iceberg pour illustrer la hiérarchisation des cinq dimensions de la compétence. Ainsi, les connaissances et les habiletés qui correspondent respectivement au savoir et au savoir-faire forment la pointe de l'iceberg parce qu'elles représentent, selon eux, des compétences superficielles relativement faciles à observer et à développer chez l'individu. Le concept de soi, les traits de personnalité et les motivations relèvent du savoir-être et correspondent à la partie immergée de l'iceberg. Ce sont des dimensions profondément ancrées qui sont moins apparentes chez l'individu et plus difficiles à évaluer. Toutes ces compétences sont qualifiées de différentielles par ces auteurs, parce qu'elles permettent de distinguer, dans des emplois complexes, les personnes qui ont une performance nettement supérieure de celles qui ont une performance moyenne. Cette catégorisation en deux niveaux de compétences revêt par ailleurs une importance de premier ordre dans le choix notamment de méthodes de sélection qui devront permettre d'évaluer efficacement les caractéristiques liées au savoir-être qui sont plus délicates à cerner chez l'individu et aussi plus difficiles à développer par de la formation en entreprise.

L'intérêt de l'approche des compétences en sélection est de permettre d'identifier deux paliers de caractéristiques complémentaires qui sont nécessaires au succès en emploi. Le premier palier, plus macro, comprend les compétences dites génériques, qui sont communes à tous les niveaux hiérarchiques et à tous les postes dans l'organisation. Le deuxième palier, plus micro, réfère aux compétences dites spécifiques, qui concernent chacun des emplois ou catégorie d'emplois et qui sont nécessaires pour bien performer dans un emploi donné. Les compétences génériques sont donc des compétences que chaque employé devrait posséder, quelle que soit la fonction exercée. Les compétences spécifiques représentent des caractéristiques que les personnes doivent détenir relativement au poste précis qu'elles occupent. En d'autres termes, les compétences génériques découlent des objectifs, de la mission et des valeurs de l'organisation, tandis que les compétences spécifiques émergent de l'analyse des tâches et sont jugées critiques au succès dans chacun des postes à pourvoir.

L'identification des compétences génériques permet d'élaborer un répertoire de compétences qui comprend les caractéristiques essentielles recherchées chez tous les membres et qui précise également le degré de maîtrise requis pour chacune des compétences selon le poste occupé. En effet, même si l'on souhaite que tous les employés soient capables d'exercer une influence positive sur leur entourage, on comprend aisément que les personnes qui occupent un poste de gestion dans l'organisation devraient maîtriser davantage la compétence « impact et influence » que les employés de soutien. À titre d'exemple, le tableau 1 présente un répertoire de compétences génériques regroupées en trois catégories. Ce répertoire ne prétend pas à l'exhaustivité. Néanmoins, les regroupements ont été effectués de manière à cerner les critères de succès auxquels les organisations sont de plus en plus confrontées et dont nous avons traité précédemment.

## TABLEAU 1
## Répertoire de compétences génériques

| Compétences | | Niveau de maîtrise | | | | |
|---|---|---|---|---|---|---|
| | | 1 | 2 | 3 | 4 | 5 |
| **Compétences intellectuelles**<br>• expertise technique/professionnelle<br>• curiosité intellectuelle/capacité d'apprentissage<br>• raisonnement analytique/sens de l'innovation | **Savoir**<br>**Savoir-faire** | | | | | |
| **Compétences interpersonnelles**<br>• esprit d'équipe/sens de la collaboration<br>• sens de l'écoute/respect d'autrui<br>• impact et influence<br>• communication/résolution des problèmes et conflits | **Savoir-être** | | | | | |
| **Compétences intrapersonnelles**<br>• stabilité émotive<br>• capacité d'adaptation/flexibilité<br>• sens des responsabilités<br>• conscience<br>• besoin d'accomplissement<br>• estime de soi | **Savoir-être** | | | | | |

## Compétences intellectuelles

Dans le cadre des transformations de l'univers du travail et des nouveaux critères de succès organisationnel qui en découlent, une importance majeure se doit d'être accordée à l'intelligence et aux habiletés cognitives. De plus en plus, les entreprises sont à la recherche de personnel de haut calibre capable de résoudre des problèmes aigus et d'apporter des innovations percutantes. Les efforts déployés dans ce qu'il est convenu d'appeler « la guerre des talents » reflètent la préoccupation des organisations d'enrichir leur capital intellectuel en recrutant des personnes particulièrement douées sur le plan de l'intelligence.

Chez les théoriciens, cet engouement pour l'évaluation du capital intellectuel des candidats relance le sempiternel débat autour du facteur « g » et des habiletés cognitives spécifiques (Landy *et al.*, 1994; Borman *et al.*, 1997). La question est de savoir si le facteur « g », qui représente le niveau d'intelligence générale d'une personne, est un meilleur prédicteur du succès en emploi que ne le sont les habiletés mentales spécifiques requises par un poste donné. Face à cette controverse, Catano *et al.*, (2005) rapportent des études démontrant que le facteur « g » est un prédicteur très efficace du rendement dans une très grande variété de postes, et ce, indépendamment des exigences et du niveau hiérarchique concernés. En fait, la contribution des aptitudes cognitives spécifiques par rapport au facteur « g » serait marginale.

En outre, le niveau d'intelligence générale favoriserait l'émergence d'autres compétences intellectuelles plus pointues telles que la capacité d'apprentissage, la résolution de problèmes et la capacité de communiquer. Le besoin croissant d'apprendre de nouvelles tâches, d'actualiser son expertise professionnelle et de s'adapter aux nouvelles technologies justifient amplement l'inclusion des facteurs précités dans le répertoire des compétences génériques de l'organisation.

En plus du degré d'intelligence générale qui réfère à la dimension strictement intellectuelle de l'intelligence, il apparaît pertinent de prendre également en compte le niveau d'intelligence dite pratique. Catano *et al.*, (2005) définissent cette compétence comme la capacité de s'acquitter d'une tâche sans l'aide d'autrui. Faire preuve d'intelligence pratique consiste à utiliser son jugement (*common sense*) et à tirer profit de son expérience pour résoudre des problèmes courants liés à l'emploi. L'intelligence pratique, qui se manifeste notamment à travers le raisonnement analytique, permet à l'individu d'avoir un regard critique face à une situation problématique et d'en arriver à une compréhension personnelle et articulée (Spencer et Spencer, 1993). L'intelligence pratique peut en retour favoriser le sens de l'innovation en conduisant l'employé qui en est doté à remettre en cause les procédés de l'organisation, à expérimenter de nouvelles façons de faire et finalement à proposer des solutions inventives et originales aux problèmes posés.

## Compétences interpersonnelles

La prolifération des équipes comme mode d'organisation du travail fait en sorte que la capacité d'interagir efficacement s'avère désormais essentielle non plus exclusivement pour les personnes qui ont à travailler avec une clientèle extérieure, mais pour tout membre de l'organisation dont la performance repose sur la collaboration avec des collègues.

Dans cette optique, le répertoire de compétences génériques doit faire une place prépondérante à la catégorie des compétences interpersonnelles indispensables au bon fonctionnement des équipes (Latham et Sue-Chan, 1998; Campion, 1994, cité dans Landy *et al.*, 1994). Parmi celles-ci, l'esprit d'équipe et la capacité d'établir des rapports harmonieux et fructueux sont des attitudes de plus en plus en demande par les employeurs. Dans la même veine, l'habileté à coordonner les efforts d'autrui, à voir les choses du point de vue de l'autre, à rechercher et à obtenir le consensus sont autant d'habiletés relationnelles associées à l'intelligence sociale qui sont valorisées dans les entreprises.

En outre, la capacité d'influencer autrui, de convaincre et de persuader, bref d'exercer un certain leadership sans pour autant être en position d'autorité, comptent parmi les habiletés qui peuvent contribuer à rendre le travail de groupe plus profitable et productif.

Il va de soi que l'efficacité du travail d'équipe et *a fortiori*, la capacité d'exercer un impact sur autrui reposent sur des habiletés de base en communication dont le sens de l'écoute et l'aisance verbale. Au surplus, les habiletés relatives à la gestion des processus de groupe telles que la résolution des problèmes et des conflits s'avèrent elles aussi nécessaires pour optimiser le savoir-faire et le fonctionnement des équipes.

## Compétences intrapersonnelles

La catégorie des compétences intrapersonnelles renvoie aux dimensions de la personnalité et aux caractéristiques motivationnelles qui relèvent du savoir-être et qui correspondent à la partie profonde du modèle de l'iceberg de Spencer et Spencer (1993). À l'instar de la préoccupation envers le capital intellectuel, l'évaluation de la personnalité a sa raison d'être dans tout processus de sélection qui vise à harmoniser les caractéristiques de l'organisation à celles des employés. De surcroît, l'embauche de candidats qui seraient éventuellement capables d'accéder à d'autres fonctions et d'exercer d'autres rôles pour répondre aux besoins changeants de l'organisation requiert une évaluation en profondeur non seulement des capacités intellectuelles mais aussi des qualités et des dispositions personnelles. Le rôle de la personnalité dans la prédiction du succès au travail est par ailleurs de mieux en mieux établi (Catano *et al.*, 2005 ; Tett *et al.*, 1991).

Depuis la création du modèle des cinq grands traits de personnalité (*Big Five*: Digman, 1990), des études se sont employées à mettre en évidence la relation entre ces dimensions (conscience, stabilité émotive, ouverture à l'expérience, extroversion, amabilité) et certaines facettes du succès au travail. Bien qu'il ait été démontré que chacune des cinq dimensions captées par le test NEO PI-R soit associée dans une certaine mesure au rendement, la dimension «conscience» s'avère le meilleur prédicteur de la performance globale dans le contexte actuel des transformations organisationnelles (Mount et Barrick, 1995; Barrick et Mount, 1998).

Cette dimension réfère à la propension de s'acquitter de ses tâches d'une manière professionnelle, c'est-à-dire avec rigueur, diligence et autodiscipline en s'investissant pleinement dans son travail et en adhérant aux objectifs et aux politiques de l'organisation. Il s'agirait d'une compétence de premier plan dans des postes qui exigent beaucoup d'autonomie, qui comportent une part d'imprévu, où les tâches qui ne sont pas clairement définies font appel à la capacité de résoudre des problèmes (Belhing, 1998). De plus, la conscience favoriserait l'adoption de comportements éthiques et prosociaux déjà identifiés comme critères de succès. Ce trait de personnalité serait également relié à des qualités morales comme l'intégrité qui s'inscrit, elle aussi, au rang des compétences génériques de plus en plus recherchées par les employeurs (Latham et Sue-Chan, 1998).

Outre la conscience, il semble que la stabilité émotive représente une caractéristique pertinente à intégrer au répertoire des compétences génériques. La capacité de contrôler et de gérer ses émotions, d'aborder avec calme les situations difficiles ou hostiles, de faire preuve de tolérance, de maturité et d'optimisme sont des qualités nécessaires pour faire face aux pressions inévitables de l'environnement. La stabilité émotive reflète aussi la propension à bien résister au stress, atout indéniable eu égard au rythme des changements auxquels la majorité des employés sont maintenant soumis. Bien qu'elle s'apparente à certains égards à la notion d'intelligence émotionnelle popularisée par Goleman (1995), la stabilité émotive s'avère un concept plus approprié en dotation, compte tenu que la relation entre le QE (quotient émotionnel) et le succès en emploi n'a pas été clairement démontrée empiriquement (Catano *et al.*, 2005).

Le concept de soi et *a fortiori* l'estime de soi, qui représentent respectivement l'image que la personne entretient d'elle-même et la valeur qu'elle s'attribue, font partie des dimensions que l'organisation aurait avantage à considérer. De fait, l'estime de soi est rarement interprétée comme une compétence qui devrait être recherchée et valorisée par les employeurs. Pourtant, pour peu qu'on y regarde de près, cette dimension centrale de la personnalité joue un rôle déterminant dans la performance en agissant comme une force intérieure qui favorise la mobilisation des autres compétences. Entretenir une opinion positive de soi, se sentir compétent et avoir confiance en ses moyens sont toutes des attitudes favorables à l'autonomie, à l'initiative et à la prise en charge de ses responsabilités personnelles et professionnelles. De plus, l'estime de soi participe au sentiment d'efficacité personnelle, c'est-à-dire à la capacité ressentie par l'individu d'affronter adéquatement les problèmes, l'adversité et les défis posés par le travail. Par conséquent, une estime de soi positive et équilibrée s'avère non seulement une composante majeure du bien-être psychologique, elle peut aussi contribuer au succès global de l'organisation. De l'avis de Branden (1997), l'estime de soi devrait même être considérée comme une force économique indispensable à l'organisation.

Enfin, les compétences intrapersonnelles englobent tout le champ de la motivation, en particulier de la motivation intrinsèque, sans laquelle les compétences intellectuelles risquent de ne pas être mises à profit avec la même intensité. Malgré toute le valeur attachée au capital intellectuel, son efficacité réelle dépend du désir et de la volonté de chaque individu d'utiliser pleinement son potentiel et son expertise dans le cadre de son travail. Être stimulé par les défis, avoir à cœur le succès de son entreprise, être insufflé d'une certaine passion pour son travail sont toutes des attitudes gagnantes pour un employeur. Dans cette veine, le besoin d'accomplissement par lequel l'individu est incité à se dépasser et à améliorer les choses autour de lui est une motivation qui, conjuguée à un sens aigu des responsabilités, va conduire l'individu à investir ses énergies dans le sens souhaité par l'organisation.

En résumé et dans une perspective stratégique, il est certain que la principale source d'avantage concurrentiel pour la majorité des entreprises se retrouve dans la catégorie des compétences intellectuelles, c'est-à-dire dans l'accumulation et dans l'articulation d'un savoir et d'un savoir-faire distinctifs qui permettent à l'organisation d'innover et de se démarquer de la compétition. Nonobstant l'importance des compétences intellectuelles, les deux autres regroupements proposés dans le présent répertoire sont en majorité composés de compétences qui relèvent du savoir-être de l'individu. En effet, des compétences telles que le sens de l'écoute et de la collaboration, la stabilité émotive et la capacité d'adaptation représentent toutes des traits de personnalité et des attitudes qui sont voués à occuper une place prépondérante dans les répertoires de compétences génériques des organisations. À celles-ci pourraient s'ajouter des qualités d'ordre moral qui favorisent l'intégrité et les comportements prosociaux dans l'organisation.

Même si les compétences présentées jusqu'ici se situent bien au-delà des compétences techniques, l'élaboration d'un répertoire de compétences génériques n'exclut pas, bien au contraire, la pertinence de construire des profils de compétences spécifiques par postes (ou par familles de postes), en vue de préciser les habiletés spécifiques, l'expertise technique ou autres, nécessaires au succès dans des emplois particuliers.

L'intérêt de l'approche des compétences est justement de permettre un découpage par niveaux de sorte qu'il devient possible d'envisager la sélection d'une manière plus large en tenant compte de l'ensemble de l'organisation. Pour passer à un niveau plus global, encore faut-il se doter d'une démarche de sélection qui permette de conjuguer l'évaluation des compétences génériques et celle des compétences spécifiques. Dans la partie qui suit, nous verrons comment l'évaluation de la compatibilité entre l'individu et l'organisation permet d'atteindre cet objectif.

## Modèle de sélection basé sur la C-I-O

Le modèle basé sur la C-I-O s'inscrit dans une perspective globale de la dotation suivant laquelle on recrute, sélectionne et embauche le personnel en fonction de l'organisation dans son ensemble et non plus exclusivement pour un poste donné. Le but, universel et incontournable, demeure la prédiction du succès au travail. Toutefois, il ne s'agit plus uniquement de prédire la performance éventuelle d'un candidat dans un emploi spécifique, mais bien la contribution qu'il pourrait apporter à l'organisation toute entière. Dans cette optique, l'efficacité de la sélection dépend de la compatibilité entre la personne prise dans son ensemble et les caractéristiques de l'organisation qui l'emploie. Alors que le modèle traditionnel mettait l'accent sur la congruence entre l'individu et le poste, l'accent est maintenant déplacé vers la recherche de compatibilité entre la personne et son environnement de travail (Bowen *et al.*, 1991). On passe donc d'un modèle de sélection centré sur la compatibilité avec le poste (C-I-P)[1] à un modèle basé sur la compatibilité de l'individu avec l'organisation (C-I-O).

---

1. Compatibilité individu-poste : traduction de l'expression anglaise : «*Person-Job Fit*» (P-J- Fit) ; compatibilité individu-organisation : traduction de l'expression anglaise : «*Person-Organization Fit*» (P-O Fit).

Ce changement d'orientation majeur ne signifie pas cependant que l'analyse de la compatibilité entre une personne et un emploi sera négligée au profit de la recherche de congruence entre le candidat et l'employeur. Comme le soulignent Bowen *et al.* (1991), il s'agit d'améliorer le modèle classique en incluant des dimensions propres à l'organisation et, en particulier, des dimensions qui relèvent de l'environnement psychosocial dans lequel la personne est appelée à travailler. Ainsi, le modèle axé sur la compatibilité avec l'organisation n'exclut pas celui qui mise sur le poste. Il le complète et l'enrichit de manière à s'assurer que la personne embauchée saura répondre aux besoins changeants de l'organisation tout en épousant ses valeurs et sa mission. Pour ce faire, l'évaluation de la personne se doit d'être plus exhaustive et approfondie que dans le cadre de l'approche classique. En plus d'évaluer les aptitudes et les habiletés des candidats, ce sont toutes les compétences y compris celles qui découlent de la personnalité qui seront investiguées. On cherche alors à déterminer, en quelque sorte, le degré de correspondance entre la personnalité du candidat et celle de l'organisation. De fait, un aspect primordial de l'approche concerne la vision holistique de la personne par la prise en compte de ses savoirs, savoir-faire et savoir-être.

Plus qu'une nouvelle approche, l'embauche en fonction de la C-I-O correspond à un véritable changement dans la philosophie de la dotation qui a prévalu jusqu'à maintenant dans la majorité des organisations. En effet, le modèle traditionnel cherchait d'abord à prédire le succès dans un emploi donné en supposant que le rendement était tributaire des caractéristiques d'un employé et notamment de ses habiletés ou de son savoir-faire. Le modèle actuel vise d'abord à prédire le succès au travail en rapport avec toute l'organisation en tenant compte de la compatibilité entre la personne dans sa globalité et son environnement de travail. Alors que le modèle traditionnel de la C-I-P stipulait que le rendement individuel dépend principalement de la personne et de ses habiletés, le modèle émergent postule que le rendement ne dépend pas exclusivement de la personne mais bien de l'interaction de celle-ci avec son environnement (Chatman, 1989). Cette perspective interactionniste de la sélection, inspirée des célèbres travaux de Lewin, soutient donc que le comportement, et par extension le rendement d'un individu, est influencé à la fois par ses caractéristiques personnelles et par les caractéristiques de son contexte de travail, d'où l'importance d'évaluer la compatibilité entre les deux.

## Conceptions de la C-I-O

Les chercheurs en psychologie du travail définissent généralement la C-I-O comme la compatibilité entre les caractéristiques de la personne et celles de l'organisation qui l'emploie (Kristof, 1996; Kristof-Brown *et al.*, 2005). Malgré sa simplicité, cette définition recouvre deux conceptions différentes à prendre en compte dans un processus de dotation qui vise le meilleur appariement possible entre la personne et son environnement: la compatibilité supplémentaire (*supplementary fit*) et la compatibilité complémentaire (*complementary fit*).

Selon la conception dite «supplémentaire», une personne et une organisation sont compatibles dans la mesure où elles présentent des caractéristiques similaires, c'est-à-dire dans la mesure où les attitudes, les valeurs et les traits de personnalité de l'individu concordent avec les normes, les valeurs et la culture de l'organisation. La compatibilité supplémentaire suppose donc la présence d'éléments communs aux deux parties qui s'ajoutent les uns aux autres pour former un tout cohérent et congruent. Cette conception origine du fameux modèle attraction-sélection-attrition (ASA) de Schneider (1987). Suivant ce modèle, les individus seraient d'abord attirés par des employeurs avec lesquels ils ressentent des affinités. Ils sont ensuite sélectionnés par les employeurs en fonction des similitudes qu'ils présentent avec les membres de l'organisation. Enfin, avec le temps, les individus dont la personnalité n'est pas compatible avec l'organisation en viendront à la quitter, volontairement ou non. En bout de ligne, la conséquence ultime de la dynamique ASA est de rendre le milieu de travail passablement homogène en termes des ressources humaines qui le composent.

La compatibilité complémentaire réfère à une relation d'échange entre l'individu et l'organisation basée sur ce que l'une ou l'autre partie est en mesure d'attendre de l'autre ou de lui offrir. D'une part, la compatibilité peut se manifester quand l'individu possède des aptitudes, des traits de personnalité ou des expériences antérieures susceptibles de répondre aux exigences ou aux demandes de l'employeur. D'autre part, la compatibilité peut survenir quand l'organisation dispose des ressources physiques, financières, interpersonnelles et psychologiques capables de satisfaire les besoins et les attentes d'un futur employé. En somme, la compatibilité est dite complémentaire quand l'une des deux parties complète l'autre en lui procurant ce qu'elle recherche. En se basant sur ces deux conceptions, la compatibilité peut donc apparaître dans les trois cas suivants: 1) quand les deux parties présentent des caractéristiques similaires; 2) quand l'une ou l'autre des deux parties peut offrir à l'autre ce dont elle a besoin; 3) quand les deux situations précédentes se présentent simultanément. Cela dit, les deux formes de congruence sont ni contradictoires, ni mutuellement exclusives. De fait, Kristof (1996) propose une conception de la compatibilité qui englobe ces deux volets. Selon ce modèle, la compatibilité entre l'individu et l'organisation est optimale quand les deux entités présentent des caractéristiques similaires et quand leurs besoins respectifs peuvent être comblés par l'autre. Les deux formes de compatibilité ont leur raison d'être dans le contexte de la sélection. En outre, la prise en compte de la compatibilité complémentaire peut conduire à l'embauche de personnes qui ont des aptitudes,

des connaissances et donc un savoir-faire dont l'entreprise a besoin pour atteindre ses objectifs. Par ailleurs, l'organisation s'assure d'une compatibilité supplémentaire en choisissant des individus qui ont des valeurs et des traits de personnalité similaires à ceux de ses membres.

## Conséquences de la C-I-O

La C-I-O, dans ses formes complémentaire et supplémentaire, est associée à de nombreux effets bénéfiques tant pour l'organisation que pour l'individu. Dans sa recherche doctorale, Mercier (2005) propose une synthèse des conséquences positives de la C-I-O articulée en trois volets. Le premier concerne la relation entre la C-I-O et les attitudes au travail comme l'engagement organisationnel, la satisfaction et l'intention de quitter. Le deuxième volet analyse la relation entre la C-I-O et l'incidence du stress au travail. Enfin, les études qui traitent de la relation entre la C-I-O et la performance au travail font l'objet du troisième volet.

En ce qui a trait aux attitudes, Mercier (2005) cite de nombreux travaux qui démontrent que la congruence entre les valeurs de la personne et celles de son organisation (C-I-O supplémentaire) influencent positivement l'engagement envers l'organisation et la satisfaction au travail. D'autres travaux viennent par ailleurs appuyer la forme complémentaire de la C-I-O. Tziner (1987) démontre qu'un degré élevé de congruence entre une préférence pour un certain type de climat organisationnel et la personnalité d'un employé conduit à un niveau élevé d'engagement et de satisfaction au travail. Cette étude illustre que les personnes ayant le goût du défi et qui recherchent un climat de travail axé sur l'accomplissement sont plus heureux et s'investissent davantage dans une organisation qui présente ce genre de caractéristiques. Dans la même veine, les employés qui sont motivés par un fort besoin d'affiliation et qui valorisent les contacts interpersonnels au travail se sont montrés plus satisfaits dans une ambiance empathique et chaleureuse que dans un climat bureaucratique et impersonnel (Downey *et al.*, 1975). L'étude de Bretz et Judge (1994) est particulièrement originale en ce qu'elle a utilisé concurremment deux mesures différentes de compatibilité supplémentaire et deux mesures différentes de compatibilité complémentaire qui se sont toutes montrées reliées au degré de satisfaction exprimé par les répondants. L'intérêt particulier de cette recherche est d'avoir démontré que la C-I-O avait un effet positif sur la satisfaction au travail, et ce, quelle que soit la façon dont elle est mesurée.

De plus, les diverses facettes de la C-I-O seraient négativement reliées à l'intention de quitter son emploi et même à la décision de le faire. Ainsi que le révèlent certaines études (Verquer *et al.*, 2003; Chatman, 1991; O'Reilley *et al.*, 1991; Saks et Ashforth, 1997), les employés seraient moins enclins à vouloir quitter leur organisation lorsqu'ils ressentent une certaine harmonie entre leurs valeurs et celles de leur employeur. Ces résultats sont d'autant plus signifiants que l'intention de quitter s'avère un très bon prédicteur du taux de roulement, comme il en sera question au troisième chapitre.

L'incidence de la C-I-O sur le niveau de stress s'avère pertinente dans la mesure où la tolérance au stress est un indicateur de bien-être psychologique. Comme le rapporte Mercier (2005), l'approche interactionniste stipule que le niveau de stress au travail dépend de la relation entre la personne et son environnement. Par conséquent, plus la compatibilité entre la personne et son environnement de travail est forte, moins celle-ci devrait éprouver de stress. Cette relation s'est révélée dans certaines recherches qui tendent à démontrer que la C-I-O est inversement proportionnelle au degré de tension rapporté par les sujets (Saks et Ashforth, 1997; Ivancevich et Matteson, 1984, cités dans Mercier, 2005).

Les liens entre la C-I-O et la performance globale sont prometteurs: toutefois, ceux-ci ont été démontrés d'une manière plutôt indirecte. Tziner (1987), dans une étude précitée, observe que l'autoévaluation de la performance est plus élevée chez les employés qui décrivent le climat de l'entreprise comme étant compatible à leur besoin d'accomplissement. D'autres chercheurs ont utilisé des mesures plus objectives du rendement, quoique indirectes, comme le nombre de promotions obtenues, le niveau hiérarchique et le pourcentage d'augmentation salariale, pour illustrer la relation entre la compatibilité et le rendement.

Déjà en 1975, Downey *et al.* ont trouvé que les individus qui expriment un fort besoin d'affiliation et qui travaillent dans des organisations au climat chaleureux « performent mieux » que leurs collègues moins enclins à socialiser. Dans la même veine, Bretz et Judge (1994) observent un degré de C-I-O plus élevé chez les membres de l'organisation dont le salaire et le niveau hiérarchique sont également plus élevés. En revanche, la relation entre la C-I-O et la performance contextuelle est plus clairement établie, comme en témoignent certaines études (Posner, 1992, cité dans Kristof, 1996; Kristof-Brown *et al.*, 2005).

En vue de faire le point sur l'état de la recherche, Kristof-Brown et ses collaborateurs (2005) ont réalisé une méta-analyse qui leur a permis de quantifier et de comparer les effets de la C-I-O sur les conséquences qui lui ont été associées dans 172 études. Pour ce qui est des effets de la C-I-O sur les attitudes au travail, ils ont trouvé une relation très forte entre la C-I-O et l'engagement organisationnel, suivie de près par la satisfaction au travail et finalement par l'intention de quitter. Comme on pouvait s'y attendre, la relation entre la C-I-O et la performance globale s'est révélée faible, quoique significative et inférieure à la relation entre la C-I-O et la performance contextuelle.

Malgré ces conséquences positives, certains auteurs (Schneider *et al.*, 1995) prétendent que les retombées de la C-I-O sont beaucoup moins évidentes pour les entreprises que pour les individus. Selon ces derniers, une congruence exagérée peut conduire à des effets pervers pour l'organisation en créant une homogénéité dysfonctionnelle chez le personnel. Ainsi, une similitude trop marquée dans les profils des membres pourrait générer un tel conformisme que la capacité d'innovation et surtout d'adaptation aux changements dans l'environnement pourrait s'en trouver affectée. Chatman (1989) avance même que l'absence de congruence provoquée par l'embauche de personnes aux valeurs discordantes peut renverser l'inertie et amener l'organisation à saisir des opportunités de croissance qui lui auraient échappé autrement. Une trop grande similarité entre les profils psychologiques des membres d'une organisation pourrait certes représenter un handicap sérieux dans le contexte actuel où le changement et la capacité d'y faire face s'avèrent des critères majeurs de succès organisationnels. Néanmoins, l'homogénéité, en autant que la nature humaine est concernée, est loin d'être parfaitement atteignable. Tout en présentant des caractéristiques similaires, les individus embauchés en vertu de leur compatibilité avec l'employeur continuent de se distinguer à plusieurs égards. Qui plus est, les différences culturelles et sociodémographiques, qui sont elles aussi des caractéristiques dominantes des organisations contemporaines, peuvent contribuer à atténuer une uniformité qui pourrait s'avérer sclérosante pour une entreprise. De l'avis de Schneider *et al.* (1995), il en revient donc aux employeurs de s'efforcer de maintenir un niveau sain de diversité dans leur entreprise de manière à éviter les effets pervers qu'une homogénéité excessive entre les personnes pourrait entraîner.

## Plaidoyer en faveur de la C-I-O

Quoiqu'il en soit, il semble que les avantages de la C-I-O, tant du côté de l'employé que de l'employeur, compensent largement l'inconvénient susmentionné. En effet, plusieurs arguments militent en faveur d'un processus de dotation basé sur l'évaluation de la compatibilité entre I et O. Au-delà de la performance, la congruence entre la personne et son environnement de travail favorise, de l'avis de plusieurs experts, l'ajustement au travail (Tziner *et al.*, 1993; Bretz et Judge, 1994; Kristof, 1996). Suivant ce principe, les personnes qui évoluent dans un environnement de travail qui leur convient bien et dans lequel elles se sentent à l'aise vont s'adapter plus facilement à leur travail et en retirer davantage de satisfaction. Qui plus est, le fait de se sentir en harmonie avec leur milieu de travail et d'œuvrer dans un climat sain qui répond à leurs besoins représente pour les individus des sources importantes de succès psychologique.

En ce sens, la compatibilité entre I et O peut s'avérer un moyen efficace de réduire l'intention de quitter et, par conséquent, le taux de roulement. Effectivement, certains auteurs (Bowen *et al.*, 1991) estiment que la C-I-O favorise davantage la rétention des employés que la C-I-P. Alors que la C-I-P concerne d'abord l'embauche de personnel pour répondre à des besoins ponctuels, la C-I-O procède d'une vision à plus long terme qui permet éventuellement de conserver le personnel de valeur. De fait, la rétention du personnel hautement performant représente un enjeu de taille pour les organisations qui doivent dorénavant composer avec une main-d'œuvre de plus en plus instable. L'embauche en fonction de la compatibilité I-O s'avère donc une solution intéressante pour inciter certaines personnes à demeurer plus longtemps au sein de leur organisation. De toute évidence, les employés dont les différents besoins sont comblés par leur environnement de travail et qui en éprouvent un certain bien-être seront moins enclins à changer d'emploi et surtout d'employeur, malgré les pressions du marché.

Si la C-I-O est un moyen prometteur de contrer la mobilité extra-organisationnelle, elle offre en revanche l'avantage incontournable d'accroître la mobilité du personnel à l'intérieur de l'organisation. En effet, embaucher en tenant compte des besoins de l'organisation, et non exclusivement en fonction d'un poste spécifique, permet de favoriser la rotation dans l'entreprise. Les nombreux changements auxquels les organisations sont confrontées et surtout la fréquence de ceux-ci font en sorte que les tâches et responsabilités confiées à une personne lors de son entrée en fonction risquent d'être rapidement dépassées. En s'assurant, au moment de la sélection, des capacités d'une personne à assumer d'autres tâches et d'autres rôles dans l'organisation, il devient possible, le cas échéant, de la muter à d'autres fonctions et dans d'autres secteurs d'activités. Ceci suppose évidemment que la capacité d'adaptation et la motivation pour le changement font partie des caractéristiques à évaluer au cours du processus de sélection. À ce sujet, Bowen *et al.*, (1991) soutiennent que la compatibilité I-O est le facteur déterminant à considérer lorsqu'il s'agit de recruter à long terme dans une optique de flexibilité. L'embauche de candidats dont la personnalité est compatible à la culture organisationnelle permet d'obtenir une main-d'œuvre plus mobile, c'est-à-dire plus facile à relocaliser dans l'organisation.

Enfin, suivant le principe d'interaction énoncé plus haut, la congruence entre I et O peut contribuer à plus long terme au renforcement des valeurs mutuelles et, partant, de la culture organisationnelle. Lorsque les membres d'une organisation présentent des valeurs qui sont alignées à celles de l'employeur, il devient possible, grâce à des pratiques de socialisation qui encouragent l'adhésion aux normes et aux valeurs en place, d'accroître l'attachement des membres envers leur organisation et de consolider la culture existante. Inversement, une organisation qui souhaite changer sa culture pourrait y parvenir en intégrant de nouveaux membres dont le schème de valeurs diffère du sien. Le principe de compatibilité permet donc à une organisation d'identifier les disparités et les similitudes qu'elle devrait modifier ou conserver, de manière à changer ou à renforcer la culture ambiante (Chatman, 1989).

## Évaluation de la C-I-O à des fins de sélection

L'évaluation de la compatibilité entre I et O nécessite un système de sélection à la fois rigoureux et sophistiqué qui permet à l'organisation d'évaluer: 1) le candidat dans sa globalité, c'est-à-dire ses aptitudes, ses habiletés, ses traits de personnalité et ses motivations; 2) l'environnement de travail en termes de structure, culture et climat organisationnels; 3) le degré de compatibilité entre ces deux entités.

Un système de sélection basé sur la C-I-O doit également tenir compte du phénomène d'interaction de l'individu avec l'organisation en permettant au candidat lui-même de vérifier s'il possède des atomes crochus avec l'employeur et de s'assurer que ce dernier sera en mesure de satisfaire ses propres attentes.

Même si la prédiction du rendement au travail demeure l'objectif ultime de tout processus de sélection, les changements dans l'univers du travail ont donné lieu à une conception élargie du succès qui comprend à la fois le succès de l'organisation, en termes d'efficacité et de rentabilité, et le succès de l'individu, en termes de bien-être psychologique. Cette conception renouvelée de la réussite amène les organisations à revoir les facteurs à partir desquels leur succès est évalué, les compétences qui mènent au succès et, inévitablement, la façon d'établir la relation entre les deux. Dans cette perspective, le modèle qui suit (inspiré de Bowen *et al.*, 1991) présente une démarche de sélection en quatre étapes dont le but est de prédire le succès au travail en maximisant la compatibilité entre I et O.

## TABLEAU 2
## Démarche de sélection axée sur la C-I-0 en quatre étapes

1) **Évaluation de l'environnement de travail**
   - analyse de l'organisation (structure, culture, climat)
   - analyse de la tâche
2) **Élaboration du profil de compétences (génériques et spécifiques)**
   - connaissances
   - aptitudes et habiletés
   - traits de personnalité et concept de soi
   - motivation
3) **Élaboration du processus de sélection**
   - choix des outils, instruments et méthodologie qui visent à évaluer les compétences des candidats
   - choix des méthodes permettant aux candidats d'évaluer leur compatibilité avec l'employeur (DRE)
   - ordonnancement
4) **Consolidation de la compatibilité I-O**
   - socialisation
   - formation
   - système de récompenses

Tableau inspiré de Bowen *et al.* (1991).

## **Étape 1:** Évaluation de l'environnement de travail

L'évaluation de l'environnement comporte essentiellement deux volets qui visent chacun des objectifs distincts: l'analyse de l'organisation (A-O) et l'analyse de la tâche (A-T). L'analyse de l'organisation est sans contredit la composante principale et déterminante de toute démarche de sélection dont le but est de favoriser le meilleur appariement entre I et O. Les psychologues du travail préconisent depuis fort longtemps la prise en compte de certaines variables organisationnelles à l'intérieur du processus de sélection. De leur avis, l'A-O fournit des informations complémentaires à l'A-T qui permettent notamment de prédire l'ajustement et la satisfaction au travail (Tziner *et al.*, 1993). Dans le cadre d'une démarche de sélection basée sur la C-I-O, les rôles sont en quelque sorte inversés. L'A-O a désormais préséance sur l'A-T qui joue maintenant un rôle secondaire, quoique nécessaire, comme nous le verrons plus loin. En effet, compte tenu des nombreux changements qui ont cours dans les entreprises, les informations produites par l'A-T deviennent rapidement obsolètes. Par contre, les valeurs de l'organisation et sa philosophie de gestion sont généralement des dimensions plus stables qui permettent une vision à plus long terme. L'utilité première de l'A-O est donc d'identifier et d'évaluer les caractéristiques du contexte de travail qui sont susceptibles d'avoir un impact sur le succès en emploi. En outre, le diagnostic organisationnel conduit à l'élaboration du répertoire de compétences génériques qui représente le fondement même d'une démarche de dotation centrée sur la C-I-O. Les dimensions du contexte qui sont pertinentes à analyser concernent principalement la structure et certains aspects relatifs à l'environnement psychosocial tels que la culture et le climat organisationnels. Alors que la structure réfère à des aspects objectifs de l'environnement de travail, la culture et le climat renvoient à des dimensions subjectives de la réalité organisationnelle qui exercent néanmoins un impact déterminant sur son fonctionnement. En effet, la culture concerne l'ensemble des valeurs et des croyances partagées qui indiquent aux membres la façon appropriée de se comporter. Le climat représente plutôt la manière dont les employés perçoivent leur environnement de travail. La prise en compte des dimensions objectives et subjectives peut conduire à des observations fort pertinentes ayant pour effet d'influencer le cours du processus de sélection par l'identification de critères de succès qui ne se seraient pas révélés autrement. Également, l'A-O suppose de prendre en compte la mission et les objectifs de l'entreprise, tout en accordant une attention particulière aux facteurs de l'environnement externe qui exercent un impact non négligeable sur son efficacité.

À ce jour, les techniques d'A-O sont encore peu développées ou raffinées. Il existe néanmoins plusieurs outils et grilles d'analyse dont l'utilisation combinée permet de procéder à un diagnostic valable d'un milieu de travail et de ses contingences. Parmi ceux-ci, les instruments destinés à mesurer le climat organisationnel sont sans doute les plus connus et les plus répandus. Ces questionnaires évaluent les perceptions que les employés d'une organisation entretiennent à l'égard de plusieurs dimensions du contexte de travail telles que la philosophie de gestion, la qualité des communications, le système de récompenses. Un audit de la culture ambiante peut aussi être réalisé grâce à des méthodes qualitatives et quantitatives qui servent à décrire les normes, les rites et les valeurs préconisées. Aussi, divers outils diagnostiques peuvent être employés pour identifier les caractéristiques structurelles de l'organisation et les particularités de l'environnement externe susceptibles d'avoir un impact sur le comportement au travail et, partant, sur le succès de l'entreprise. Le modèle de la technologie et la taxonomie de l'incertitude sont des exemples d'outils permettant d'évaluer comment des caractéristiques de l'environnement externe, comme la complexité et l'instabilité, affectent le choix de la structure de l'organisation et de la division du travail (Tziner *et al.*, 1993).

Outre l'analyse des caractéristiques organisationnelles, divers instruments développés en majorité aux États-Unis permettent d'estimer d'une manière plus directe la C-I-O. Le plus populaire d'entre eux est sans contredit le «Organizational culture profile (OCP)» d'O'Reilley *et al.* (1991). Cet outil, basé sur la conception supplémentaire de la C-I-O, permet de comparer le profil de l'organisation à celui de l'individu en termes de valeurs et de déterminer le degré et l'intensité de la relation entre les deux profils. Dans le cadre d'une étude doctorale précitée, Mercier (2005) propose une adaptation québécoise de l'OCP. Malgré l'intérêt qu'il présente, notamment au plan de la convivialité, plusieurs étapes de validation restent à franchir avant de pouvoir utiliser cet instrument pour sélectionner du personnel. Ce constat ne se limite cependant pas au contexte québécois. En effet, Kristof-Brown *et al.* (2005), à la suite de leur méta-analyse, soulignent la nécessité de faire la démonstration empirique des liens entre diverses mesures de C-I-O et les dimensions précises du succès au travail qu'elles cherchent à prédire.

En dépit de l'importance qu'elle revêt, l'A-O n'exclut pas pour autant l'A-T. De toute évidence, une démarche de sélection origine habituellement d'un besoin précis dans l'organisation relié à la présence d'un poste devenu vacant ou encore à la création d'un nouveau poste. Chaque personne embauchée devra nécessairement posséder des qualifications spécifiques en vue de performer adéquatement et à court terme dans un poste donné. Alors que l'A-O est essentielle pour identifier les compétences génériques relatives au succès dans l'organisation, et ce, quel que soit le poste occupé, l'A-T permet de déterminer toutes les exigences requises pour fournir un rendement satisfaisant dans un emploi précis. Ces exigences incluent notamment les qualifications de base, c'est-à-dire la scolarité et l'expérience requises, de même que toutes les autres compétences spécifiques au poste définies en termes de connaissances, d'aptitudes ou habiletés, de traits de personnalité et de facteurs de motivation.

En d'autres termes, l'A-O est centrée sur le contexte de travail tandis que l'A-T met davantage l'accent sur le contenu du travail à effectuer. Les renseignements issus de cette dernière analyse viennent compléter ceux qui sont tirés de l'A-O et permettent ainsi de cerner d'une manière assez exhaustive l'environnement dans lequel l'individu sera appelé à travailler. L'A-T a donc toujours une raison d'être dans un processus de sélection basé sur la compatibilité I-O. Toutefois, les méthodes traditionnellement utilisées dans ce domaine sont fortement remises en cause par les experts. En effet, les méthodes classiques d'A-T[2], qui consistent à décomposer le travail et à le morceler en activités pour en extraire des critères de rendement, procèdent d'une vision statique et rigide qui ne convient pas à l'évolution du travail dans les entreprises contemporaines (Latham et Sue-Chan, 1998). Selon ces chercheurs, il y a un besoin criant à l'heure actuelle de développer des méthodes d'analyse qui tiennent compte notamment des changements technologiques, de l'aplatissement des structures et de la prolifération des équipes comme mode d'organisation du travail. En outre, ces méthodologies plus qualitatives devraient mettre l'accent sur la définition des rôles et sur le caractère interchangeable de ceux-ci, plutôt que sur des aspects statiques comme les sous-tâches, les activités et les éléments. La disparition de l'emploi classique commande donc des méthodes d'analyse plus souples qui reflètent le caractère dynamique et changeant de l'environnement. De plus, ces nouvelles approches se doivent d'être arrimées aux méthodes d'A-O en ce sens qu'elles devraient découler d'une vision holistique de l'organisation. En poursuivant cette même logique, il serait souhaitable que l'A-T s'apparente davantage à une analyse du travail au sens large de manière à épouser le caractère globalisant du diagnostic organisationnel.

## **Étape 2:** Élaboration du profil de compétences

L'investigation approfondie de l'environnement de travail permet donc de passer à la seconde phase de la démarche de sélection, soit à l'identification et à la définition des compétences nécessaires au succès dans l'emploi et dans l'organisation. Rappelons que l'A-T aura permis d'identifier

2. Pour un exposé élaboré de ces méthodes, voir Tziner *et al.* (1993) et Gatewood et Feild (1994).

les compétences spécifiques associées au rendement dans un poste donné, tandis que l'A-O aura servi à dégager les compétences génériques liées à la prédiction du succès dans l'ensemble de l'organisation. La notion de compétence, définie précédemment comme une caractéristique sous-jacente de l'individu qui entretient un lien de causalité avec le succès au travail, est la pierre angulaire de tout processus de sélection centré sur la C-I-O.

Cela dit, l'évaluation de la compatibilité entre le candidat et l'organisation requiert l'élaboration d'un profil de compétences exhaustif qui comprend à la fois les compétences spécifiques demandées par le poste à pourvoir et les compétences génériques, dont le degré de maîtrise exigé peut varier en fonction du poste. Le profil de compétences doit également contenir des exemples de comportements qui permettent de traduire d'une façon observable et mesurable chacune des compétences, selon le degré de maîtrise exigé par le poste. Le profil des compétences recouvre donc un éventail assez large de caractéristiques qui relèvent des connaissances, des aptitudes intellectuelles et autres aptitudes requises, de la personnalité et même du champ des motivations. En effet, la recherche de correspondance dans le cadre de la C-I-O nécessite d'évaluer la personne dans sa globalité en prenant en considération les savoirs, savoir-faire et savoir-être.

## **Étape 3**: Élaboration du processus de sélection

Cette étape consiste à déterminer quelles sont les méthodes ou instruments qui seront utilisés pour évaluer la compatibilité I-O et à préciser de quelle façon et dans quel ordre ils seront employés. Il s'agit d'abord de choisir les méthodes de sélection qui sont les plus appropriées pour mesurer à quel point le candidat maîtrise et peut mettre en œuvre dans l'organisation les diverses compétences contenues dans le profil. Compte tenu du caractère exhaustif de celui-ci, l'évaluation rigoureuse de la compatibilité I-O requiert une approche à prédicteurs multiples qui intègre plusieurs instruments destinés à vérifier des aspects particuliers du profil reliés aux différents critères de succès en emploi.

***Évaluation par les tests et simulations***

En ce qui a trait à l'évaluation de l'intelligence et de la personnalité, la méthode des tests psychométriques revient en force. Alors que les tests avaient été délestés en raison de leurs faibles qualités psychométriques et des poursuites judiciaires que cela pouvait entraîner, de nombreux efforts ont été déployés, au cours des dernières années, en vue de construire, de traduire et de valider des instruments plus performants en sélection. Pour la mesure des aptitudes intellectuelles, les tests d'aptitudes cognitives générales seraient plus appropriés que les tests d'aptitudes cognitives spécifiques, d'autant que le facteur «g» est vu comme une aptitude qui gouverne et chapeaute des aptitudes cognitives spécifiques recherchées dans une majorité d'emplois (capacité d'apprentissage, communications, etc.) (Catano *et al.*, 2005). Pour jauger la personnalité, le test NEO PI-R représente une avancée fort intéressante puisqu'il permet d'évaluer cinq grands traits qui sont tous reliés, à divers degrés, au succès en emploi.

Hormis les tests, l'évaluation de la C-I-O requiert l'élaboration d'instruments qui sont représentatifs de la tâche et qui s'apparentent le plus possible au contenu du travail à effectuer. La tendance est à l'élaboration d'outils fondés sur la validation de contenu qui représente une approche rigoureuse, centrée sur les liens avec les caractéristiques de l'emploi et qui, de ce fait, est plus facile à défendre en cas de litige (Pettersen, 2000)[3]. Dans cette perspective, le recours à des simulations, c'est-à-dire à des exercices qui reproduisent des situations semblables à celles qui sont susceptibles de se

3. Dans un ouvrage consacré à la question, Pettersen (2000) expose en détails les étapes d'élaboration d'instruments de mesure basés sur la validité de contenu.

présenter dans le cadre du travail, est tout à fait approprié à l'évaluation de la compatibilité entre les caractéristiques de la personne et celles de l'organisation.

Conçue à l'origine pour l'évaluation de potentiel des cadres, l'appréciation du personnel par simulations peut s'appliquer à une plus petite échelle et être adaptée à plusieurs niveaux et à plusieurs postes dans l'entreprise. Il s'agit alors de bâtir quelques exercices bien ciblés et représentatifs de la tâche ou plus précisément du contenu du travail. Dans l'optique de la C-I-O, le but n'est pas tant de vérifier si la personne est capable de bien performer dans un poste donné, mais plutôt de voir dans quelle mesure elle peut adopter des comportements (flexibilité, communication, citoyenneté organisationnelle) qui favorisent le succès dans toute l'organisation, et ce, quel que soit le poste occupé (Latham et Sue-Chan, 1998). Étant donné que les simulations mettent habituellement en interaction plusieurs candidats, elles représentent un moyen très efficace pour évaluer notamment les compétences interpersonnelles dont l'habileté de travailler en équipe. Elles ont également comme avantage d'impliquer plusieurs observateurs ou juges qui auront à faire consensus concernant les compétences évaluées. Certains de ces juges peuvent d'ailleurs être choisis parmi les membres de la future équipe. L'évaluation par les pairs, qui a fait ses preuves dans le cadre de la dotation à l'interne (Tziner *et al.*, 1993), gagnerait à être davantage employée pour sélectionner des candidats qui proviennent de l'extérieur de l'organisation. La popularité du travail en équipe et des équipes autogérées justifie de faire appel aux futurs collaborateurs pour déterminer dans quelle mesure un candidat est susceptible de bien s'intégrer à l'équipe. En plus de permettre d'évaluer la compatibilité avec les membres de l'équipe (*group-fit*), l'implication des collègues favorise une certaine démocratisation de la sélection qui va de pair avec le décloisonnement des structures et le partage des pouvoirs. Enfin, en étant représentatives de la tâche, les simulations aident le candidat à se faire une image plus claire du poste convoité, ce qui devrait faciliter sa décision d'accepter une offre d'emploi, le cas échéant (Bowen *et al.*, 1991 ; Latham et Sue-Chan, 1998).

### *Entrevue de sélection*

En dépit de toutes les critiques sévères qu'elle a subies, l'entrevue de sélection demeure une méthode incontournable, voire irremplaçable, pour évaluer la compatibilité du candidat avec l'organisation. Elle permet d'investiguer en profondeur la personnalité et de corroborer des indices sur les compétences qui se sont déjà révélés à travers les autres méthodes de sélection. L'entrevue permet également d'évaluer des dimensions qui sont difficilement accessibles autrement dont les facteurs de motivation. En outre, l'entrevue est utile pour vérifier dans quelle mesure le profil motivationnel du candidat est compatible au climat et à la culture de l'entreprise. L'entrevue sert aussi à déterminer dans quelle mesure un candidat est capable d'adopter, dans le cadre du travail, des comportements qui sont jugés critiques en regard du succès en emploi. Plus que toute autre méthode, un entretien de sélection bien mené permet d'investiguer avec rigueur les dimensions reliées au savoir-être qui sont par ailleurs les plus délicates à évaluer parce que plus cachées. Il est primordial de s'assurer que les candidats présentent, au moment de l'embauche, tous les traits et attitudes jugés essentiels dans l'entreprise et qui seraient difficiles à acquérir ou à développer en cours d'emploi.

Deux formes d'entrevue, très populaires au cours des dernières années, s'avèrent prometteuses pour évaluer la C-I-O: l'entrevue situationnelle et l'entrevue de description comportementale. L'entrevue situationnelle, orientée vers le futur, présente au candidat des situations représentatives du poste et qui comportent un dilemme; celui-ci doit décrire comment il réagirait dans ces situations. Le rationnel sous-jacent veut que les intentions de comportement exprimées par le candidat dans ses réponses soient un indice valable de son comportement futur (Tziner *et al.*, 1993). L'entrevue de description comportementale est orientée vers le passé du candidat et s'appuie donc sur le principe voulant que les comportements antérieurs soient des prédicteurs valides du comportement futur. L'interviewer demande ici au candidat s'il a fait face à des situations données dans un emploi antérieur et, le cas échéant, celui-ci doit expliquer et justifier la réaction qu'il avait alors adoptée (Tziner *et al.*, 1993).

Même si les études de validité sont nettement plus favorables à l'entrevue situationnelle notamment à cause de son caractère structuré (Tziner *et al.*, 1993; Borman *et al.*, 1997; Landy *et al.*, 1995), l'entrevue de description comportementale demeure néanmoins très intéressante et surtout moins anxiogène. De façon générale, les candidats se sentiront plus à l'aise de parler de leur expérience passée que de se projeter dans une situation hypothétique inconnue, en risquant de se compromettre. Toutefois, les candidats sont de plus en plus aguerris face à l'entrevue comportementale très en vogue, de sorte qu'ils peuvent se présenter trop bien préparés à répondre à des questions prévisibles qui ne reflètent pas nécessairement leur expérience.

Quoiqu'il en soit, il apparaît plus judicieux de tirer avantage de ces deux approches en élaborant un schème d'entrevue qui comprend à la fois des mises en situation et des questions comportementales. Qui plus est, l'entrevue idéale devrait aussi permettre une évaluation psychologique de manière à vérifier dans quelle mesure la personnalité du candidat est congruente avec les comportements et les intentions comportementales qu'il exprime. Quant à la forme, il s'avère important de structurer l'entrevue, c'est-à-dire d'assurer un certain degré de standardisation et d'uniformisation entre les candidats dans les questions posées et dans le traitement des informations obtenues. Selon Pettersen et Durivage (2006), le fait de structurer l'entrevue permet d'en améliorer l'efficacité en fonction de certains critères dont la validité et la fidélité. En outre, l'entrevue structurée permet de réduire les erreurs d'évaluation et, partant, elle se défend mieux en cas de litige (Pettersen et Durivage, 2006). Il est également possible, voire souhaitable, de réaliser deux entrevues qui poursuivent des buts spécifiques en faisant appel à deux interviewers différents. Une première entrevue pourrait être axée sur l'évaluation des aptitudes intellectuelles et des compétences techniques tandis que l'autre serait consacrée à l'évaluation de la personnalité, c'est-à-dire aux compétences interpersonnelles et intrapersonnelles qui relèvent du savoir-être.

Enfin, l'entrevue de sélection est le cadre privilégié pour permettre au candidat d'évaluer de son côté la compatibilité qu'il ressent envers l'employeur. Ceci peut se faire grâce à la «description réaliste de l'emploi» (DRE) ou, plus justement, grâce à la description réaliste de l'environnement. Il s'agit de présenter, à la fin de l'entrevue, le portrait le plus fidèle possible de l'emploi et surtout du milieu de travail. Cette approche, jadis élaborée par Wanous (1980) et appuyée depuis par nombre d'auteurs (Latham et Sue-Chan, 1998; Bowen *et al.*, 1991; Tziner *et al.*, 1993), favorise une forme d'autosélection en amenant le candidat à juger de lui-même si l'environnement de travail proposé lui convient. La DRE a aussi comme conséquence de favoriser l'ajustement au travail en réduisant l'écart parfois exagéré entre les attentes du candidat et la réalité (Wanous, 1980).

En résumé, l'évaluation de la C-I-O repose sur une gamme variée d'instruments: tests psychométriques, simulations, entrevues structurées dont l'utilisation conjointe devrait produire un portrait complet et rigoureux du candidat. La rigueur en cette matière provient d'outils mesurant des attributs et des caractéristiques qui présentent un lien logique et conceptuel avec l'emploi et qui, de ce fait, garantissent au processus une certaine validité de contenu (Tziner *et al.*, 1993; Pettersen, 2000).

### *Évaluation informatisée*

Néanmoins, au delà de l'instrumentation, il faut savoir choisir la méthodologie appropriée, c'est-à-dire la façon de procéder qui soit la plus adéquate pour recueillir les informations pertinentes sur les candidats. À ce sujet, les avancées en matière de technologie donnent lieu à un accroissement de l'usage de l'informatique dans la sélection du personnel (Lievens *et al.*, 2002). En effet, il est de plus en plus courant d'administrer et de corriger des tests par ordinateur, de procéder à des simulations de tâche sophistiquées, de réaliser des entrevues filmées et de mettre en interaction évaluateurs et candidats. Tout comme le développement exponentiel du recrutement via Internet, on peut s'attendre à ce que, dans un avenir rapproché, de plus en plus de candidats soient soumis à un processus de sélection très élaboré face à leur écran, et ce, sans jamais rencontrer un représentant de l'organisation. Certes, cette approche contemporaine de la sélection peut alimenter un débat intéressant surtout en raison des enjeux éthiques qu'elle soulève. Il y a tout lieu de se demander si l'évaluation des candidats en ligne représente la méthodologie idéale dans l'optique de la C-I-O. De prime abord, l'administration de tests par ordinateur comporte des avantages indéniables. Elle permet d'évaluer des compétences, et notamment certaines habiletés perceptuelles et psycho-motrices, qu'il est impossible de mesurer à l'aide de tests papier-crayon. Elle accélère le processus de sélection en produisant des résultats instantanés. Enfin, l'évaluation en ligne permet de considérer des candidatures éloignées et de faire intervenir à distance et simultanément plusieurs observateurs et évaluateurs (Burke, 1993, cité dans Landy *et al.*, 1995; Latham et Sue-Chan, 1998).

Par ailleurs, la technologie peut aussi constituer un piège en déshumanisant le processus de sélection et en privant les décideurs d'informations qui sont accessibles seulement par le contact visuel. À cet égard, l'observation et l'analyse du comportement non verbal comptent parmi les aspects les plus révélateurs de l'entrevue de sélection. De fait, embaucher un candidat sans jamais l'avoir rencontré peut représenter une aberration pour bon nombre de spécialistes en ressources humaines. Enfin, même si cette méthodologie peut s'avérer appropriée pour prédire la performance dans un poste donné, elle l'est peut-être moins pour déterminer l'ajustement et la satisfaction au travail qui représentent des critères privilégiés dans l'approche C-I-O. La solution pourrait alors résider dans une combinaison des deux approches, c'est-à-dire en effectuant le testing par ordinateur et les entrevues de sélection face à face.

Malgré ses avantages, la passation de tests à l'ordinateur suscite de nombreuses questions dont celle de l'équivalence des formes (Lievens *et al.*, 2002; Potosky et Bobko, 2004). Est-ce que les candidats qui sont soumis à une version électronique des tests d'aptitudes ou de personnalité obtiennent les mêmes résultats que s'ils étaient soumis à une version papier-crayon des mêmes tests? Est-ce que l'usage du WEB comme plateforme discrimine négativement les candidats plus âgés, qui proviennent de milieux socio-économiques défavorisés et qui sont moins familiers avec la technologie (Potosky et Bobko, 2004)? De façon générale, est-ce que la qualité des personnes embauchées à la suite d'épreuves en ligne est comparable à celle des candidats embauchés à l'aide de méthodes traditionnelles?

Même si ces questions ont été soulevées dans des études empiriques, les résultats obtenus demeurent fragmentaires, peu concluants et incitent à la prudence. De toute évidence, l'évaluation des candidats à l'aide d'une plateforme électronique est un courant auquel on peut difficilement échapper. Il convient cependant de faire preuve de circonspection en évitant notamment de recourir exclusivement à l'évaluation informatisée pour prendre des décisions d'embauche.

### *Ordonnancement des méthodes de sélection*

Enfin, l'élaboration du processus de sélection ne s'arrête pas au choix des instruments et de la méthode d'administration. Une étape importante consiste à établir l'organisation chronologique, en déterminant la séquence suivant laquelle les instruments seront administrés. Habituellement, trois critères président à cet ordonnancement: les coûts relatifs à l'utilisation d'un instrument, le caractère plus ou moins objectif des renseignements qu'il permet d'obtenir et le nombre de candidats qu'il permet d'éliminer. Selon cette logique, l'évaluation par les tests se fait généralement au début du processus tandis que l'entrevue a lieu vers la fin. De plus, il faudra déterminer le modèle de décision qui prévaudra, en fonction de l'importance et du poids qu'on souhaite accorder aux renseignements obtenus à chacune des étapes. Étant donné que le processus de sélection a pour but de conduire à éliminer progressivement les moins bons candidats et à retenir le ou les meilleurs, il importe de choisir la stratégie décisionnelle qui va optimiser la qualité de chaque décision tout en réduisant le risque d'erreur[4].

## **Étape 4:** Consolidation de la C-I-O

La dernière étape de la démarche de sélection, qui paradoxalement survient après l'embauche, a pour but de renforcer la compatibilité et ainsi maximiser les probabilités de succès en emploi. Bien que tout ait été mis en œuvre au cours du processus de sélection pour s'assurer que la personne cadrera bien dans son environnement, il reste encore un certain travail à faire après l'embauche pour intégrer le nouvel employé et le socialiser à la culture ambiante. La socialisation organisationnelle, traitée au chapitre suivant, vise précisément à amener l'employé à comprendre les normes, les valeurs et les comportements attendus qui lui sont essentiels pour bien jouer son rôle. Cette étape permet aussi de

4. Pour une discussion à ce sujet, voir Tziner *et al.* (1993) et Cascio (1998).

conscientiser l'employé au fait qu'il aura à changer de poste et de projet au cours de son séjour et que, par conséquent, il devra s'intégrer à plusieurs équipes.

En plus de la socialisation, des efforts devront également être investis en formation pour développer des habiletés techniques particulières et, dans certains cas, des habiletés nécessaires au fonctionnement en groupe. Même si les compétences interpersonnelles ont été prises en compte lors de la sélection, il pourrait y avoir lieu de développer ou d'actualiser des compétences plus fines comme la planification de projet ou la résolution de problèmes en équipe. Pour en assurer le succès, ces activités de formation devront être entérinées par des systèmes de récompense et de gestion du rendement qui mettent l'accent sur l'acquisition de nouvelles compétences, la collaboration et le travail d'équipe.

En somme, pour consolider la compatibilité I-O et faire en sorte qu'on en retire de part et d'autre les bénéfices escomptés, les pratiques reliées à la sélection des employés doivent être alignées aux autres pratiques de gestion des ressources humaines en vigueur dans l'entreprise (Bowen *et al.*, 1991). D'où la pertinence d'intégrer les diverses activités de la gestion des ressources humaines, dont l'acquisition des ressources est certes une composante majeure, mais qui représente néanmoins un sous-système à l'intérieur d'un ensemble qui se veut un tout cohérent.

## Défis et enjeux relatifs à l'évaluation de la C-I-O

Malgré l'intérêt qu'elle présente, la démarche que nous avons élaborée comporte de nombreux défis et enjeux à résoudre avant de pouvoir être implantée de façon efficace. D'abord, l'évaluation de la compatibilité entre la personne et l'organisation repose sur une analyse rigoureuse de l'environnement de travail afin d'identifier les éléments du contexte qui sont susceptibles d'avoir une incidence sur le succès au travail. Bien que valables, les instruments dont nous avons traité, en particulier les questionnaires destinés à mesurer la culture, le climat organisationnels et la C-I-O elle-même, n'ont pas été conçus dans l'optique de sélectionner du personnel. Il serait donc opportun de développer des méthodes d'analyse de l'environnement psychosocial qui soient axées sur la prédiction du succès en emploi et de procéder à des études de validité de façon à démontrer, preuves à l'appui, la pertinence de ces dimensions. Également, l'approche des compétences, qui permet, en outre, de dégager les dimensions génériques pertinentes au succès organisationnel, mériterait d'être validée. Dans cette optique, Catano *et al.* (2005) soulignent la nécessité de réaliser des études comparatives pour évaluer l'efficacité d'un système de sélection axé sur les compétences par rapport à un système de sélection basé sur l'analyse de tâches classique.

D'autre part, la recherche de compatibilité entre I et O suppose une évaluation globale et exhaustive de la personne qui exige de faire appel à de nombreux instruments de mesure destinés à évaluer différents éléments du profil de compétences. Malgré le regain d'intérêt des tests psychométriques, les organisations auraient avantage à se tourner vers des outils tels que les simulations, qui sont représentatives du travail à effectuer et qui, de ce fait, se prêtent bien à une approche de validation basée sur le contenu du travail. En plus de rendre un instrument de sélection crédible pour les candidats, cette approche offre l'avantage indéniable de bien résister aux poursuites judiciaires (Pettersen, 2000). Effectivement, un enjeu de taille posé par la compatibilité I-O consiste à s'assurer que les méthodes employées pour la mesurer sont bel et bien reliées aux caractéristiques et aux exigences à la fois de l'emploi et de l'organisation. De plus en plus, les organisations canadiennes doivent faire la preuve devant les tribunaux que les instruments utilisés pour prendre des décisions d'embauche sont pertinents à l'emploi et qu'ils ne portent pas atteinte aux droits de la personne (Pettersen, 2000). Selon Catano *et al.* (2005), les meilleures pratiques en matière de sélection sont celles qui conduisent à l'embauche des meilleurs candidats tout en étant défendables au plan juridique.

Par ailleurs, nous avons déjà souligné que certains auteurs (Schneider *et al.*, 1995) reprochent au modèle de la C-I-O de conduire à l'embauche de personnel dont la similitude des profils risque de nuire à la capacité d'innovation et d'adaptation de l'organisation. Bien qu'il faille reconnaître que l'homogénéité psychologique puisse constituer un frein au changement, celle-ci peut être compensée en valorisant la diversité démographique lors de l'embauche. De fait, l'intégration de personnes issues de cultures et de milieux variés peut représenter un atout dans le contexte des organisations en mutation. Dans cette perspective, le défi est de trouver un juste équilibre entre le degré de compatibilité psychologique souhaitable et le degré de diversité démographique à privilégier pour maximiser le succès. En ce sens, les programmes d'équité en emploi qui permettent de favoriser lors de l'embauche des membres appartenant à des groupes sous-représentés dans l'organisation demeurent une voie intéressante à exploiter pour augmenter la diversité.

Le défi est d'autant plus saillant lorsqu'il s'agit de recruter des personnes qui auront à travailler en équipe. La composition des groupes en termes de la diversité de ses membres est un enjeu actuel qui par ailleurs a fait l'objet d'une controverse dans la documentation (Landy *et al.*, 1995; Borman *et al.*, 1997). Pour certains, l'hétérogénéité est un atout dans la mesure où elle favorise l'échange d'idées et la créativité. Pour d'autres, une hétérogénéité trop marquée peut empêcher la cohésion du groupe, la loyauté des membres et éventuellement avoir une incidence sur le taux de roulement. Quoiqu'il en soit, le défi en cette matière consiste à mettre au point des techniques de sélection pour évaluer chez les futurs membres d'une équipe l'habileté d'être accepté dans un groupe, d'accroître la solidarité des membres et le désir de s'identifier aux autres malgré les différences démographiques (Prielo, 1994, cité dans Landy *et al.*, 1995). À cet égard, le fait de tenir compte de la compatibilité avec le groupe (*person-group fit*) et même de la compatibilité avec le supérieur immédiat (*supervisor-fit*) permet d'optimiser les effets de la C-I-O dans l'organisation (Kristof-Brown *et al.*, 2005).

Au défi de la diversité s'ajoute celui de l'équité dans les pratiques de recrutement et de sélection. Avec la diversification de la main-d'œuvre, il devient impératif de développer des outils de sélection exempts de biais culturels et de s'assurer que le processus de sélection discrimine de façon juste pour tous les groupes ethniques et socio-économiques concernés (Tziner *et al.*, 1993). Non seulement doit-on employer un processus de sélection équitable, encore faut-il qu'il soit perçu comme tel par les principaux intéressés. De l'avis de Latham et Sue-Chan (1998), la perception de l'équité représente un enjeu majeur de la dotation au XXI^e^ siècle. Pour que les postulants se prêtent au jeu de la sélection et y collaborent pleinement, ils doivent avoir l'impression que celui-ci est légitime. Comme nous le verrons ultérieurement, la perception de la justice inhérente au processus de sélection peut influencer le comportement et les attitudes des candidats.

Un dernier enjeu, et non le moindre, concerne les coûts relatifs à l'implantation d'un système de sélection fondé sur la recherche de compatibilité entre I et O. Qu'il s'agisse de développer des nouveaux outils, de procéder à des études de validité, d'administrer une gamme d'instruments et de faire appel à plusieurs juges, l'investissement requis en termes de temps et d'argent peut s'avérer considérable. Plus que jamais, les décideurs seront intéressés à évaluer dans quelle mesure un système de sélection sophistiqué qui intègre la C-I-O peut être rentable pour leur organisation. L'estimation de l'utilité économique permet justement de connaître en dollars l'augmentation de la productivité qui résulte de l'implantation d'une méthode de sélection (Boudreau, 1991 ; Tziner *et al.*, 1993). L'analyse de l'utilité sert à déterminer à quel point la valeur d'un candidat embauché (en terme de rendement) versus celle d'un candidat rejeté est supérieure aux coûts d'utilisation de la méthode de sélection employée (Tziner *et al.*, 1993). Évidemment, ce type d'estimation soulève la question épineuse de l'évaluation de l'augmentation du rendement qui découle de l'application précise d'un outil de sélection (Pettersen, 2000), évaluation qui en elle-même représente un défi considérable pour les gestionnaires.

Par ailleurs, l'approche de la C-I-O suppose une perspective interactionniste qui prend en compte l'influence mutuelle des deux parties à l'intérieur du processus de sélection. Cela dit, la sélection ne se limite pas à une démarche suivant laquelle les entreprises choisissent unilatéralement leurs futures ressources. Pour assurer l'efficacité de la démarche, l'employeur doit nécessairement s'intéresser à ce qui se passe chez l'individu à partir du moment où il pose sa candidature à un poste jusqu'à ce qu'il décide d'accepter (ou non) une offre d'emploi.

De toute évidence, la dotation est un processus essentiellement dynamique au cours duquel les individus eux-mêmes sont appelés à recueillir et à analyser des informations en vue d'effectuer des choix judicieux. Dans cette perspective, la recherche de compatibilité entre l'individu et l'organisation passe inévitablement par la prise en compte du point de vue des candidats, de leurs préoccupations et de leurs réactions face à la sélection. Effectivement, comme nous le verrons dans la partie qui suit, les candidats sont loin d'être passifs en regard des diverses composantes du processus de sélection. Leurs comportements et leurs attitudes au long du parcours risquent d'avoir un impact sur le dénouement de la sélection.

# Partie 2

## *Perspective individuelle: Les réactions et les attitudes des candidats face au processus de sélection*

Traditionnellement, le processus suivant lequel un individu est amené à se joindre à une organisation a été traité selon une perspective exclusivement organisationnelle. Comme nous le disions plus tôt, la sélection était concentrée, dans le passé, sur des méthodes visant à apparier les caractéristiques d'un candidat à celles d'un poste. Dans cette optique, l'objectif de la sélection était de choisir, parmi un bassin de candidats, celui qui répondait le mieux aux exigences du poste à combler.

Pourtant, si l'on remet les choses en perspective, on reconnaîtra d'emblée que la décision finale de se joindre à un employeur incombe au candidat lui-même. En effet, après avoir été choisi par une entreprise à la suite des épreuves de sélection, c'est au candidat de décider s'il accepte ou non de poursuivre la démarche. En somme, l'aboutissement de tout processus de sélection échoit à l'individu qui doit déterminer en définitive si une offre d'emploi lui convient. Quels sont les facteurs qui vont influencer son choix? Comment est-il amené à prendre une décision aussi marquante pour le cours de sa carrière et de sa vie?

Dans cette optique, une démarche de sélection se doit de prendre en compte une double perspective: celle de l'organisation, qui recherche des candidats dont les caractéristiques lui sont compatibles, et celle du candidat, qui recherche un emploi et aussi un milieu de travail conforme à ses attentes et à ses besoins.

Depuis quelques années, on remarque un souci dans la documentation de mieux comprendre ce qui se passe chez le candidat au cours du processus de sélection. Cet intérêt s'est traduit par une série de recherches portant sur les phénomènes de l'attrait et du choix organisationnels. L'attrait organisationnel est le processus suivant lequel un individu est appelé à développer des préférences envers différents types d'organisation qui pourraient éventuellement le conduire à poser sa candidature à des postes vacants. Le choix organisationnel réfère au processus au cours duquel le candidat est amené à accepter une offre d'emploi et à se joindre à une organisation, le cas échéant. Le processus du choix organisationnel englobe implicitement celui du choix d'un emploi à l'intérieur d'une organisation puisque la décision d'adhérer à une organisation se prend nécessairement en tenant compte des caractéristiques de l'emploi postulé.

En bref, les travaux issus de ces deux domaines illustrent que les gens souhaitent travailler dans un environnement qu'ils perçoivent comme étant compatible à leur profil psychologique (Schneider *et al.*, 1995; Chatman, 1989; Van Vianen, 2000; Kristof, 1996; Cable et Judge, 1996). C'est dire que l'individu, tout comme l'employeur, cherche à déterminer, tout au long du processus de sélection, si un milieu de travail lui convient. Sur quoi repose cette évaluation? Quels sont les facteurs qui vont conditionner sa décision de se joindre à un employeur? Comment les candidats s'y prennent-ils pour tenter de convaincre un employeur de les embaucher?

Cette deuxième partie du chapitre vise à explorer la contrepartie individuelle d'une démarche de sélection en s'intéressant particulièrement aux comportements et aux attitudes des candidats pendant le processus. À cette fin, il sera question de la façon dont ils évaluent leur compatibilité avec un employeur, de leurs perceptions en regard du processus de sélection ainsi que des stratégies qu'ils emploient pour faire tourner à leur avantage l'issue d'un processus.

## Évaluation de la compatibilité avec un employeur

Les recherches réalisées en matière d'attrait et de choix organisationnels révèlent que certaines dimensions psychologiques des individus interviennent dans les préférences qu'ils manifestent envers des employeurs. Les personnes en recherche d'emploi seraient attirées par des organisations qui dégagent des caractéristiques compatibles à leur profil (Schneider *et al.*, 1995; Kristof, 1996; Wanous, 1980; Chatman, 1989; Slaughter *et al.*, 2005).

Cette hypothèse prend racine dans le modèle d'attraction-sélection-attrition (ASA) de Schneider (1987) cité antérieurement. Ce modèle stipule notamment que les individus sont attirés par des entreprises selon l'évaluation implicite qu'ils font de la correspondance entre leurs caractéristiques personnelles et celles de l'employeur. En particulier, les candidats évalueraient dans quelle mesure une organisation possède une structure, des valeurs et des objectifs compatibles avec leur personnalité et leurs propres valeurs (Schneider *et al.*, 1995). Nombre de travaux empiriques inspirés de ce modèle démontrent clairement que les individus préfèrent des organisations qui dégagent des valeurs similaires aux leurs (Judge et Bretz, 1992; Carless, 2005; Judge et Cable, 1997; Lievens *et al.*, 2002; Van Vianen, 2000).

Outre les valeurs, il semblerait que la personnalité des candidats ait un rôle à jouer dans leur attirance pour la culture des organisations. Une recherche en particulier (Judge et Cable, 1997) démontre que cinq traits de personnalité (*Big Five*, Digman, 1990) sont impliqués dans les préférences que les candidats manifestent envers certaines dimensions de la culture organisationnelle. Par exemple, les personnes extraverties seraient davantage attirées par des organisations qu'elles perçoivent comme étant dynamiques, centrées sur le travail d'équipe et la compétition. Celles qui manquent de maturité émotive seraient, pour leur part, peu enclines à travailler dans des milieux qui leur semblent axés sur l'innovation et le changement. Par ailleurs, les individus au tempérament «aimable» rechercheraient une culture qui favorise le soutien et le travail d'équipe et non la compétition.

Dans le même ordre d'idées, le concept de soi fait partie des dimensions de la personnalité susceptibles d'intervenir dans les préférences que les candidats développent. Une étude classique (Tom, 1971) révèle que les candidats ont tendance à choisir une organisation de façon à ce que l'image projetée par l'employeur s'apparente à leur propre image. Fait intéressant, ce souci de rechercher une image compatible à la sienne serait plus marqué chez les personnes qui possèdent un concept de soi positif que chez celles dont l'image d'elles-mêmes est plus négative (Wanous, 1980). Ceci pourrait signifier que les personnes qui s'estiment peu auraient plus de difficulté à jauger leur compatibilité avec des employeurs potentiels et, par conséquent, à faire des choix qui leur conviennent bien.

Un autre courant de recherches révèle que les individus choisissent leur employeur de façon à ce que le climat organisationnel leur permette de satisfaire leurs besoins psychologiques. Tout comme les candidats entretiennent des perceptions à propos de la culture et des valeurs qui prévalent au sein d'une organisation, ils en viennent également à se faire une impression du climat qui y règne. Cette notion de climat perçu, aussi connue sous l'expression de climat apparent, a fait l'objet de travaux démontrant que les candidats choisissent un employeur dont le climat apparent coïncide à leurs besoins (Wanous, 1980; Schneider et Bowen, 1985; Cardinal, 1988). Suivant ce principe, les personnes qui ont un besoin d'affiliation marqué sont portées vers des entreprises à l'aspect chaleureux qui donnent du soutien à leurs employés. Celles qui sont stimulées par le pouvoir et l'influence vont préférer des organisations de prestige qui exercent une influence dans la société, et ainsi de suite.

En somme, tous ces travaux qui traitent de l'attrait et du choix organisationnels pointent dans la même direction. Les gens évaluent dans quelle mesure un employeur potentiel leur convient à partir de l'idée, parfois sommaire et toujours subjective, qu'ils ont de certaines caractéristiques des organisations dont la culture, les valeurs sous-jacentes et le climat perçu. Les résultats de cette évaluation vont par la suite conditionner leurs préférences envers certains types d'organisation et éventuellement influencer leur décision de se joindre à un employeur.

Cette recherche de compatibilité avec les caractéristiques de l'organisation indique donc que pour la personne, comme pour l'employeur, le processus de sélection s'étend au-delà de l'évaluation de la compatibilité avec le poste. Ceci ne signifie pas que les caractéristiques de l'emploi postulé et les conditions de travail, telle la rémunération, n'entrent pas en ligne de compte quand vient le temps d'accepter ou de rejeter une offre. Néanmoins, toutes choses étant égales, les individus choisiraient un emploi en fonction des affinités qu'ils ressentent avec l'employeur (Judge et Cable, 1997). Cette constatation, lourde de sens, soulève la pertinence pour l'employeur de prendre les mesures nécessaires afin de s'assurer que la compatibilité I-O est réellement présente et que les candidats reçoivent les informations nécessaires pour en juger.

## Réactions des candidats face au processus de sélection

Comme on l'a vu, les candidats évaluent leur degré de compatibilité avec l'organisation en se basant sur les perceptions qu'ils entretiennent à propos de la culture et du climat qui prévalent dans les organisations auprès desquelles ils postulent un emploi. Toutefois, bien qu'elles jouent un rôle important, ces dimensions ne sont pas les seules à intervenir dans leur décision. Ceux-ci seraient également influencés par le processus de sélection et ses diverses composantes, à commencer par les représentants de l'organisation impliqués dans la démarche.

***Rôle des intervenants***

D'entrée de jeu, l'agent de recrutement peut, à travers les attitudes qu'il dégage et les messages qu'il transmet implicitement ou ouvertement, influencer la façon dont les candidats évaluent dans quelle mesure une organisation leur convient. Par exemple, un candidat peut se faire une opinion plus ou moins positive d'une organisation selon que l'interviewer lui paraît sympathique ou hostile (Rynes, 1993). Également, les caractéristiques démographiques des interviewers (âge, sexe, nationalité) auraient un rôle à jouer dans les jugements portés par les candidats au sujet d'un employeur. Ainsi, les postulants percevraient une plus grande compatibilité envers un employeur quand les interviewers possèdent des caractéristiques démographiques similaires aux leurs (Cable et Judge, 1996). Qui plus est, ils auraient tendance à se fier aux caractéristiques de ces derniers pour se faire une opinion concernant le profil des employés qui composent une organisation. Ces hypothèses permettent de supposer que les intervenants transmettent des messages, souvent malgré eux, que les candidats utilisent pour tirer des inférences à propos des organisations dans lesquelles ils postulent un emploi. Pour cette raison, il apparaît important que les personnes chargées du recrutement et de la sélection soient représentatives de la population à l'intérieur de l'organisation afin de ne pas créer de fausses impressions (Rynes, 1993). De plus, il y aurait lieu de former ces personnes de façon à ce qu'elles communiquent clairement les valeurs et la mission de l'entreprise. Plusieurs auteurs (Cable et Judge, 1996; Kristof, 1996) soulignent l'importance d'envoyer des signaux clairs aux candidats au cours du processus, afin de les aider à déterminer si un milieu de travail est susceptible de leur convenir. Les individus qui ne recevraient pas de l'employeur les informations dont ils ont besoin vont chercher à les obtenir à travers d'autres sources qui peuvent être plus ou moins fiables.

Le processus de sélection en lui-même et les instruments de mesure utilisés peuvent aussi intervenir dans l'évaluation qu'un postulant fait d'un employeur. Ainsi, les individus se forment une opinion générale d'une organisation à partir des méthodes de sélection auxquelles ils sont soumis (Rynes, 1993). Les candidats seraient particulièrement sensibles à l'équité et à la pertinence des instruments de sélection de sorte qu'ils pourraient développer une aversion face à des organisations qui emploient des méthodes jugées inéquitables ou intrusives (Hausknecht *et al.*, 2004). Inversement, ils auraient tendance à réagir positivement à une démarche qui leur paraît adéquate et même exigeante. Selon Bowen *et al.* (1991), le sentiment de fierté éprouvé par un candidat qui a réussi à franchir les étapes difficiles d'un processus de sélection rigoureux pourrait jouer en faveur de l'organisation. Depuis quelques années, un nouveau courant de recherches, à la fois original et pertinent, s'emploie à analyser les réactions des candidats face au processus de sélection. Dans ce contexte, l'expression « réactions » sert à décrire les perceptions, les attitudes et les émotions des candidats à l'égard des diverses étapes de la sélection et de ses composantes (Ryan et Ployhart, 2000).

### *Perception de l'équité*

Un premier groupe de travaux, inspiré de la théorie de la justice organisationnelle, étudie les perceptions des candidats à l'égard de quatre formes de justice. Selon cette approche, les individus portent un jugement sur l'équité d'un processus de sélection et sur ses composantes, lequel en retour peut influencer leurs attitudes et leurs comportements envers le processus lui-même et, plus globalement, envers l'organisation (Hausknecht *et al.*, 2004).

La justice distributive concerne l'équité perçue par les candidats relativement aux décisions qui sont rendues après l'administration d'une méthode de sélection (test, entrevue, etc.) ou l'aboutissement de tout le processus. La justice procédurale porte sur la perception de l'équité concernant précisément les méthodes ou instruments qui sont utilisés pour évaluer les candidats. La justice interactionnelle renvoie aux perceptions que les candidats entretiennent quant à la façon dont ils sont traités et au respect qui leur est prodigué pendant le processus. Enfin, la justice informationnelle concerne les perceptions des candidats en lien avec la nature et la quantité des informations transmises tout au long de la démarche.

Bien que ces quatre formes de justice soient reliées, des études ont néanmoins démontré que chacune d'elles entraînait des réactions particulières chez les candidats, pouvant affecter positivement ou négativement l'issue d'un processus de sélection (McGonigle, 2004; Hausknecht *et al.*, 2004). Fait intéressant, certaines de ces recherches révèlent que les perceptions de justice influencent le comportement des individus non seulement au cours du processus de sélection, mais également après l'embauche (Gilliland, 1993). En outre, il a été démontré que les candidats qui ont l'impression d'avoir été traités injustement pendant une entrevue de sélection (justice interactionnelle) pouvaient aller jusqu'à refuser une offre d'emploi, ou éviter de recommander l'employeur fautif à des candidats potentiels (Gilliland, 1993). De plus, lorsque les candidats se sentent lésés lors de l'administration d'un test (justice procédurale), leur performance au test peut en être affectée (Ployhart et Ryan, 1997).

La perception de la justice procédurale aurait même un effet sur certaines dimensions psychologiques telles que le sentiment d'auto-efficacité (Ployhart et Ryan, 1997) et d'estime de soi en rapport avec la performance au test (Bauer *et al.*, 2001, cités dans Hausknecht *et al.*, 2004). Ainsi, les candidats qui ne comprennent pas le bien-fondé d'un test ou de certaines questions pourraient se sentir inadéquats ou incompétents en tentant d'y répondre. Ce genre de réaction soulève un enjeu éthique relativement à l'utilisation de méthodes de sélection susceptibles d'ébranler psychologiquement les candidats.

En ce qui a trait aux conséquences après l'embauche, d'autres résultats indiquent que les perceptions de justice procédurale pendant le processus de sélection sont positivement reliées au rendement, à la satisfaction et à l'engagement au travail, et négativement reliées au taux de roulement (Colquitt *et al.*, 2001).

L'intérêt de ces études est de montrer à quel point les candidats sont sensibles à l'équité qui se dégage d'un processus de sélection et des différentes étapes qui le composent. De plus, les perceptions qu'ils développent à l'égard du traitement qui leur est accordé risquent d'avoir des répercussions à long terme sur différents aspects du succès au travail et même sur la rétention.

***Perception de la validité***

Un deuxième groupe de recherches analyse les perceptions des candidats à propos de la validité des tests auxquels ils sont soumis durant le processus. Le but est d'évaluer le jugement que les candidats portent sur la pertinence des instruments de sélection. Dans cette optique, deux types de validité ont été étudiés: la perception de la validité prédictive (Ryan et Chan, 1999, cités dans McGonigle *et al.*, 2004) et la validité apparente (Chan *et al.*, 1997, Ryan et Chan, 1999, cités dans McGonigle *et al.*, 2004). La perception de la validité prédictive se mesure par le degré auquel un candidat juge que sa performance à un instrument de sélection est relié au rendement dans le poste convoité. La validité apparente reflète dans quelle mesure, aux yeux du candidat, le contenu d'un instrument de sélection est relié aux tâches de l'emploi. À la suite d'une méta-analyse, Hausknecht *et al.*, (2004) rapportent que les entrevues et les tests de performance (qui reproduisent des situations de l'emploi) sont jugés comme étant les instruments de sélection les plus valides par les candidats. À l'inverse, les tests de personnalité, d'intégrité et les questionnaires biographiques sont perçus plus négativement, les liens avec l'emploi postulé étant moins évidents.

De façon générale, les candidats tendent à avoir une perception plus favorable d'un processus de sélection lorsque les épreuves auxquelles ils sont soumis leur apparaissent pertinentes et reliées au succès dans l'emploi postulé.

***Attitudes et attentes des candidats***

Enfin, un troisième groupe de recherches vise à étudier l'effet des attitudes et de la motivation des candidats sur leur performance à certaines épreuves de sélection. Deux études ont montré que plus les candidats sont motivés à réussir une épreuve de sélection, meilleurs sont les résultats qu'ils obtiennent (Arvey *et al.*, 1990; Chan *et al.*, 1997). À l'inverse, la recherche de Ryan *et al.* (1998) confirme l'hypothèse, quoique prévisible, voulant que le niveau d'anxiété nuise à la performance dans un contexte de sélection.

Une autre étude s'est employée à identifier les attentes que les candidats sont susceptibles de manifester face à un processus de sélection (Derous *et al.*, 2004). Les six facteurs trouvés (transparence, objectivité, feed-back, information, participation, respect) reflètent à quel point les individus ont des attentes précises et élevées concernant la façon dont ils souhaitent être considérés lorsqu'ils posent leur candidature à un poste.

Pour diverses raisons, un employeur a tout avantage à se préoccuper des perceptions des candidats à l'égard des méthodes de sélection qu'il utilise. La plus importante est sans contredit le risque de perdre d'excellentes ressources qui pourraient refuser une offre ou se retirer de la course parce qu'elles n'auraient pas apprécié la façon dont elles auraient été traitées. Outre cela, on peut facilement entrevoir que des candidats ayant vécu de mauvaises expériences dissuadent des collègues ou amis de soumettre leur candidature auprès des employeurs fautifs. Enfin, l'employeur qui manque d'éthique ou qui utilise des méthodes intrusives peut s'exposer à des poursuites judiciaires de la part de candidats qui se seraient sentis lésés.

## Stratégies de vente des candidats

Pour le candidat, le processus de sélection représente habituellement une compétition exigeante au cours de laquelle il doit faire valoir, pour ne pas dire vendre, sa candidature à un employeur potentiel. Afin de mieux comprendre la perspective de l'individu, il faut également s'intéresser aux stratégies qu'il déploie pour convaincre l'employeur qu'il est le meilleur et ainsi se mériter une offre d'emploi. Comment les candidats s'y prennent-ils pour influencer en leur faveur une décision d'embauche? Quels sont les comportements susceptibles d'attirer l'attention et la sympathie des interviewers?

La réponse à ces questions réfère à deux phénomènes bien connus en psychologie sociale: le *self-monitoring* (SM) et la gestion des impressions (GI). Le SM est la capacité de décoder des indices dans l'environnement social et d'ajuster son comportement en conséquence (Snyder, 1986, cité dans Hazer et Jacobson, 2003). Une personne douée au plan du SM est particulièrement habile pour adopter, dans une situation donnée, des comportements qui tiennent compte des signaux verbaux et non verbaux qu'elle aura préalablement repérés chez autrui. Par exemple, certains candidats se révèlent très compétents, dans une entrevue de sélection, à identifier ce que l'interviewer cherche à entendre et, de là, orienter leur réponse dans ce sens. La GI réfère aux comportements qu'une personne émet consciemment ou inconsciemment dans le but de créer une impression favorable chez autrui (Gilmor et Ferris, 1989). Ce concept se définit également par les tentatives exercées par l'individu en vue de contrôler l'image qu'il projette dans une interaction sociale (Schlenker, 1980, cité dans Tsai *et al.*, 2005).

Les auteurs qui s'intéressent au phénomène de la GI dans le contexte de la sélection regroupent en deux catégories les comportements habituellement manifestés par les candidats en vue de créer une image positive: les tactiques verbales telles que vanter l'entreprise et démontrer un intérêt marqué pour y travailler; les tactiques non verbales telles que sourire et maintenir un bon contact visuel avec l'interviewer (Tsai *et al.*, 2005). Il est également possible d'analyser ces tactiques selon que le candidat les dirige vers l'entreprise et l'interviewer ou encore vers lui-même. Lorsqu'ils utilisent l'interviewer comme cible, les candidats peuvent, par exemple, chercher à le flatter. Lorsqu'ils dirigent l'attention sur eux, ils vont plutôt se vanter de leurs réalisations antérieures ou faire largement la promotion de leurs compétences.

En général, le *self-monitoring* et la gestion des impressions vont de pair, le SM étant l'habileté qui permet à l'individu de mieux gérer les comportements par lesquels il cherche à faire bonne impression. Ainsi, les candidats doués en SM savent habituellement quoi dire et quoi faire en entrevue pour paraître sous leur meilleur jour.

Il semble par ailleurs que ces tactiques de séduction verbales et non verbales soient efficaces. En effet, des recherches ont démontré que les candidats qui les utilisent augmentent leurs chances d'être évalués favorablement par l'interviewer (Gilmor et Ferris, 1989; Higgins et Judge, 2004;

Stevens et Kristof, 1995). En d'autres termes, les stratégies de GI des candidats représentent une source potentielle d'erreur dans les évaluations dont ils font l'objet à l'issue d'un processus de sélection. Effectivement, les comportements émis dans le but de créer une impression favorable, influenceraient positivement les interviewers, et ce, quelles que soient les qualifications des candidats (Gilmor et Ferris, 1989). Pour pallier cela, il revient à l'interviewer, d'aller au-delà de l'image et de s'assurer que les compétences des candidats sont à la hauteur de leurs prétentions. L'entrevue de type comportemental peut s'avérer utile, malgré ses limites, pour tenter de vérifier dans quelle mesure l'image projetée par un candidat est conforme à la réalité. Il semblerait également que plus l'entrevue est structurée et plus elle dure longtemps, moins les tactiques de GI auraient d'emprise sur l'interviewer (Tsai *et al.*, 2005).

Enfin, il va de soi que la compétence de l'interviewer en matière de sélection, sa connaissance du poste et des phénomènes qui entrent en jeu durant une entrevue peuvent le prémunir contre les erreurs de jugement induites par les candidats qui cherchent (trop) à projeter une image positive. Le désir de bien paraître peut conduire certains candidats à adopter une attitude défensive de sorte qu'ils vont chercher à éluder les questions compromettantes. À cet égard, Pettersen et Durivage (2006) soulignent l'importance de mettre en place des conditions facilitantes et de créer un climat susceptible de favoriser le bien-être. De plus, la propre aptitude de l'interviewer au SM s'avère un atout indéniable dans la mesure où elle lui permettra de décoder les tentatives initiées par le candidat pour contrôler l'impression qu'il dégage et d'y réagir adéquatement.

Quoiqu'il en soit, même s'il est reconnu que les tactiques de GI des candidats peuvent conduire à des évaluations erronées, leur influence sur la décision d'embauche n'est pas clairement démontrée (Tsai *et al.*, 2005). Qui plus est, le SM et la GI ne constituent pas nécessairement des obstacles au processus de sélection. Les candidats qui adoptent ces comportements ne sont pas nécessairement de mauvaise foi. Ils auraient surtout plus de facilité que d'autres à se faire valoir et à présenter une image positive d'eux-mêmes. Ils seraient, en outre, particulièrement motivés à réussir une épreuve difficile et parfois menaçante comme l'entrevue de sélection en vue de décrocher une offre d'emploi. Il revient donc à l'interviewer de faire preuve de vigilance et de discernement afin de contourner les biais que cette attitude peut engendrer.

Par ailleurs, il faut voir que la compétition inhérente au processus de sélection peut donner lieu à certaines stratégies malhonnêtes, voire carrément frauduleuses. Incidemment, certains individus vont aller jusqu'à falsifier leur curriculum vitæ en omettant délibérément des informations ou en donnant de faux renseignements en vue de franchir avec succès l'étape de la présélection. D'autres candidats vont chercher à fausser les résultats à un test de façon à présenter une image différente d'eux-mêmes. Ce genre de réaction est plus probable dans le cas de certains inventaires de personnalité ou de tests d'intégrité qui génèrent de la désirabilité sociale. Reste à savoir cependant si les comportements non éthiques vont entraîner des erreurs de sélection en favorisant l'embauche de personnes qui auraient été exclues du processus autrement (Rynes, 1993).

Quoiqu'il en soit, il est logique de s'attendre à ce que les candidats soient plus enclins à faire preuve d'honnêteté face à une méthode de sélection qu'ils jugent pertinente et appropriée et moins motivés en regard d'instruments qui leur semblent farfelus ou qui représentent une intrusion dans la vie privée, d'où l'importance d'assurer la validité apparente d'une méthode de sélection.

Par ailleurs, il faut envisager l'hypothèse selon laquelle les réactions des candidats en regard d'une méthode de sélection sont influencées par des facteurs extérieurs au processus et présents dans l'environnement. Une pénurie d'emploi dans un secteur ou la mauvaise réputation de certains instruments de mesure dans la population sont des exemples de variables qui peuvent affecter le comportement des postulants.

## Rôle des candidats dans le dénouement de la démarche

En résumé, comme on peut le constater, les candidats ont un rôle important à jouer dans l'aboutissement d'une démarche de sélection. Tout comme l'employeur, ils procèdent à une analyse au cours du processus de sélection, en vue de déterminer dans quelle mesure un emploi leur convient. Les études dans ce domaine révèlent que les candidats recherchent un milieu de travail qui est compatible à leur profil psychologique, c'est-à-dire un milieu avec lequel ils ont l'impression d'avoir des affinités. Précisément, il semble que les gens ont tendance à choisir un emploi en fonction de la compatibilité qu'ils perçoivent entre leurs caractéristiques personnelles (valeurs, besoins, image de soi) et certaines caractéristiques de l'organisation dont la culture et le climat. Cela dit, deux remarques s'imposent. D'abord, les candidats accordent de l'importance aux caractéristiques de l'organisation lorsqu'ils tentent d'évaluer à quel point un emploi leur correspond. La décision d'accepter une offre d'emploi repose donc sur une évaluation globale de la situation qui tient compte à la fois des particularités de l'emploi en question et aussi de celles de l'employeur. De surcroît, les candidats qui prennent en considération les caractéristiques de l'organisation avant leur embauche vont se sentir davantage en harmonie avec leur employeur après leur entrée en fonction (Kristof, 1996).

En second lieu, il faut souligner que les candidats évaluent leur compatibilité en se basant sur les perceptions qu'ils entretiennent à propos du climat et de la culture qui prévalent chez l'employeur. Or, cette compatibilité, en raison de la subjectivité dont elle est imprégnée, peut ne pas correspondre à la réalité. Néanmoins, c'est la compatibilité perçue qui influence la décision d'accepter une offre d'emploi et de se joindre à un employeur.

Ces constatations soulèvent l'importance, pour un employeur, de se doter d'une culture forte et d'un climat de travail sain de manière à attirer et à retenir les meilleurs candidats. En effet, non seulement ces dimensions interviennent-elles dans l'image que les organisations projettent, elles influencent par surcroît les candidats dans leurs choix. Aussi apparaît-il important de s'assurer, au cours de l'entrevue, que les perceptions des candidats à propos d'un milieu de travail soient représentatives de la réalité afin de les rectifier, s'il y a lieu.

La description réaliste de l'emploi (DRE) mentionnée antérieurement demeure un des moyens les plus efficaces pour s'assurer que les candidats aient une perception juste à la fois de l'emploi convoité et de l'environnement de travail. Cette approche, qui consiste à décrire au candidat avec précision autant les aspects positifs que les aspects négatifs d'un emploi, comporte plusieurs avantages. Le premier est sans contredit de permettre une autosélection. Le candidat bien informé des particularités d'une situation est le mieux placé pour déterminer si celle-ci lui convient. La DRE permet également de réduire les attentes exagérées que peuvent entretenir certains candidats en évitant chez eux le dur choc de la réalité. De ce fait, elle favorise l'ajustement et l'adaptation au travail des nouveaux employés qui sont préparés à faire face à une situation dès leur entrée en fonction (Wanous, 1980; Bowen *et al.*, 1991). Malgré ses avantages, l'utilisation de cet outil n'est pas aussi répandue qu'elle le devrait. En effet, plusieurs employeurs croient qu'en donnant l'heure juste aux candidats ceux-ci pourraient se désister. Or, la DRE a justement pour but d'amener ceux qui n'auraient pas de bonnes chances de succès en emploi de se retirer au cours du processus de sélection au lieu d'être invités à le faire plus tard. Par ailleurs, les candidats qui décident de persister sont habituellement fiers et rassurés d'accepter un emploi dans une organisation qui s'est montrée honnête à leur endroit dès le départ.

Dans ce volet consacré à la perspective individuelle, nous avons voulu attirer l'attention sur un aspect souvent négligé par les entreprises : les dispositions psychologiques des candidats lors du processus. Pour effectuer avec efficacité la sélection de ses employés, un employeur se doit d'avoir une compréhension articulée du cadre mental des candidats, de ce qu'ils recherchent dans un emploi et de la façon dont ils procèdent pour influencer en leur faveur un processus de sélection.

## Conclusion

Ce chapitre a proposé une approche d'acquisition des ressources humaines basée sur un changement dans la philosophie qui a dominé la dotation jusqu'à aujourd'hui. Les impératifs d'efficacité des organisations contemporaines et ceux qui sont liés à l'accroissement de la flexibilité suggèrent une vision de la sélection qui mise sur l'harmonisation entre les caractéristiques de l'organisation et celles de l'individu pris dans sa globalité. Comme nous l'avons vu, cette conception de la sélection vise à maximiser à la fois le succès de l'entreprise, par la prise en compte de ses dimensions structurelles et culturelles, et celui de l'individu, en l'amenant à œuvrer dans un environnement qui correspond autant à ses talents, à ses valeurs qu'à sa personnalité.

Dans cette perspective, la démarche présentée repose sur la contribution complémentaire de l'approche des compétences et de l'évaluation de la compatibilité entre l'individu et l'environnement de travail.

Dans un premier temps, l'intérêt de l'approche des compétences est de permettre à l'organisation d'identifier l'ensemble des caractéristiques essentielles à son succès par la prise en compte de deux niveaux. À un niveau plus global, les compétences génériques sont exigibles chez tous les employés parce qu'essentielles au succès dans l'organisation, quel que soit le poste occupé. Les compétences spécifiques, quant à elles, sont nécessaires pour bien performer dans chacun des postes à pourvoir.

En second lieu, la recherche de compatibilité entre l'individu et l'organisation offre l'avantage indéniable de conjuguer l'évaluation de l'ensemble des compétences requises en vue de favoriser autant le succès organisationnel que celui de l'individu. Cette approche globale de la sélection vise donc à mieux capturer le caractère multidimensionnel du succès en tenant compte de l'ensemble des caractéristiques intellectuelles, interpersonnelles et intrapersonnelles susceptibles d'y contribuer.

Du côté de l'organisation, la C-I-O est réputée pour favoriser l'engagement organisationnel, la satisfaction au travail et la rétention. De plus, elle contribue à accroître la mobilité du personnel dans l'organisation grâce à la polyvalence de celui-ci de même qu'à sa propension à en partager les normes et la culture. À l'inverse, force est de reconnaître que le manque de congruence I-O peut entraîner des conséquences néfastes pour l'entreprise en termes d'absentéisme, de productivité et de taux de roulement (Catano *et al.*, 2005).

En ce qui a trait à l'individu, le succès se traduit notamment par un bien-être psychologique résultant de l'actualisation de son potentiel dans un contexte de travail qui privilégie la mise en œuvre de toutes ses compétences, y compris celles liées au savoir-être.

En somme, la recherche de compatibilité I-O se révèle une stratégie gagnante en permettant à l'individu et à l'organisation de concilier leurs intérêts à travers l'arrimage de leurs caractéristiques respectives. Pour en tirer les bénéfices escomptés, l'évaluation rigoureuse de la C-I-O exige la maîtrise d'une certain nombre d'outils, en particulier des méthodes de diagnostic, pour cerner adéquatement le profil de l'organisation. Cette analyse s'avère un préalable essentiel à partir duquel l'organisation sera en mesure d'inventorier l'ensemble des compétences nécessaires à l'atteinte de sa mission et de ses objectifs. La rigueur réside également dans l'utilisation d'instruments de mesure validés qui vont permettre une évaluation juste et équitable des compétences des candidats, tout en réduisant les risques d'erreur de sélection. De fait, le processus de sélection comporte une série d'étapes et de décisions qui devraient toutes conduire au rejet des candidatures qui sont les moins aptes à contribuer au succès de l'organisation.

Par ailleurs, l'approche de la C-I-O nous permet de voir la sélection comme un processus d'interaction pendant lequel le candidat cherche à déterminer de son côté si l'emploi lui convient et à influencer en sa faveur l'aboutissement du processus.

En ce sens, l'employeur se doit d'être vigilant quant aux stratégies que les candidats utilisent pour faire bonne figure et décrocher une offre d'emploi. Ils se doivent également de prendre en compte les différents facteurs, en particulier les composantes du processus de sélection qui sont susceptibles d'amener un candidat à accepter ou à refuser une offre d'emploi, le cas échéant. En effet, l'issue du processus de sélection échoit nécessairement au candidat à qui revient la décision finale de se joindre ou non à un employeur. À cet égard, plusieurs éléments dont les conditions de travail, les affinités qu'il ressent avec l'employeur et même la considération reçue au cours du processus peuvent influencer son choix. Malgré leur pertinence, ces éléments ne sont pas les seuls à peser dans la balance. En effet, l'aboutissement d'un processus de sélection est aussi tributaire de la conjoncture économique et des opportunités d'emploi qui en découlent. Alors que les dernières décennies ont été marquées par une crise de l'emploi qui favorisait nettement les employeurs, le début du millénaire annonce plutôt une pénurie de main-d'œuvre dans plusieurs secteurs qui serait attribuable au déclin démographique. Or, ce retour du balancier a des implications importantes tant pour les candidats désormais avantagés que pour les organisations qui font face à une vive compétition pour s'approprier les meilleures ressources. Dans un marché de l'emploi plus serré, les organisations doivent faire preuve de créativité dans la mise au point de stratégies de recrutement destinées à attirer les meilleurs candidats. Se positionner comme employeur de choix tout en se démarquant de la concurrence font partie des défis que bon nombre d'employeurs doivent relever dans ce qu'il est convenu d'appeler la guerre des talents. Même si, dans ce chapitre, nous avons choisi de mettre l'accent sur le processus de sélection, il faut voir que toutes les phases de la dotation et notamment le recrutement peuvent en conditionner l'efficacité.

Qui plus est, après avoir réussi à attirer et à embaucher les personnes les plus susceptibles de contribuer à l'atteinte des objectifs organisationnels, la partie est loin d'être gagnée. Encore faut-il être en mesure de susciter leur adhésion à la culture organisationnelle et de les inciter à demeurer au sein de l'organisation. Incidemment, la socialisation et la rétention de ressources compétentes représentent, à l'heure actuelle, des enjeux majeurs de la gestion des ressources humaines, auxquels les deux prochains chapitres sont consacrés.

## Références

ARVEY, R.D., STRICKLAND, W., DRAUDEN, G., MARTIN, C. (1990). Motivational components of test taking. *Personnel Psychology*, 43, 695-716.

BARRICK, M.R., MOUNT, M.K. (1998). Big Five personality dimensions and job performance in army and civil occupations: a european perspective. Human Performance, 11, 271-288.

BEHLING, O. (1998). Employee selection: will intelligence and conscientiousness do the job? *The Academy of Management Executive*, 12 (1), 77-86.

BORMAN, W.C., HANSON, M.A., HEDGE, J.W. (1997). Personnel selection. *Annual Review of Psychology*, 48, 299-337.

BORMAN, W.C., MOTOWILDO, S.J. (1993). Expanding the criterion domain to include elements of contextual performance, in N. Schmitt and W.C. Borman, (Eds), Personnel Selection in Organizations. San Francisco: Jossey-Bass, p. 71-98.

BOUDREAU, J.W. (1991). Utility analysis for decisions in human resource management, in M.D. Dunnette et L.M. Hough (Eds), Handbook of Industrial and Organizational Psychology (2nd ed.), Palo Alto, CA: Consulting Psychologists Press, p. 621-745.

BOWEN, D.E., LEDFORD, G.E., NATHAN, B.R. (1991). Hiring for the organization, not the job. *Academy of Management Executive*, 5 (4), 35-51.

BOYZATIS, R.E. (1982). Competence at work, in A. Stewart. (Ed.), Motivation and Society, San Francisco: Jossey-Bass.

BRANDEN, N. (1997). Self-esteem in the information age, in F. Hesselbein, M. Goldsmith and R. Beckhard, (Eds), The Organization of the Future. San Francisco: Jossey-Bass, p. 221-230.

BRETZ, R.D. Jr., JUDGE, T.A. (1994). Person-organization fit and the theory of work adjustment: implications for satisfaction, tenure, and career success. *Journal of Vocational Behavior*, 44, 32-54.

CABLE, T., JUDGE, T.A. (1996). Person-organization fit, job choice decisions, and organizational entry. *Organizational Behavior and Human Decision Processes*, 67, 294-311.

CARDINAL, L. (1988). L'attrait organisationnel: étude de la relation entre la perception du climat du type d'organisation préféré et les valeurs de travail chez un groupe de finissants en administration canadiens-français. Thèse de doctorat inédite, Université de Montréal.

CARLESS, S.A. (2005). Person-job fit versus person-organization fit as predictors of organizational attraction and job acceptance intentions: a longitudinal study. *Journal of Occupational and Organizational Psychology*, 78 (3), 411-430.

CASCIO, W.F. (1998). Applied Psychology in the Personnel Management (5th ed.). Prentice Hall.

CATANO, V.M., WIESNER, W.H., HACKETTE, R.D., METHOT, L.K. (2005). Recruitment and Selection in Canada. 3rd edition, Thomson-Nelson.

CHAN, D., SCHMITT, N., JENNINGS, D., CLAUSE, C.S., DELBRIDGE, K. (1997). Reactions to cognitive ability tests: the relationship between race, test performance, face validity perceptions, and test taking motivation. *Journal of Applied Psychology*, 82, 300-310.

CHATMAN, J.A. (1989). Improving interactional organizational research: a model of person-organization fit. *Academy of Management Review*, 14 (3), 333-349.

CHATMAN, J.A. (1991). Matching people and organizations: selection and socialization in public accounting firms. *Administrative Science Quaterly*, 36 (3), 459-484.

COLQUITT, J.A., CONLON, D.E., WESSON, M.J., PORTER, M.J., C.O.L.H., NG, K.Y. (2001). Justice at the millenium: a meta-analytic review of 25 years of organizational justice research. *Journal of Applied Psychology*, 86, 425-445.

DEROUS, E., BORN, M.P., DeWITTE, K. (2004). How applicants want and expect to be treated: applicants' selection treatment beliefs and the development of the social process questionnaire on selection. *International Journal of Selection and Assessment*, 12 (1-2), abstract, p.99.

DIGMAN, J.M. (1990). Personality structure: Emergence of the five factor model. In M. Rosenzweig and L.W. Porter, (Eds), Annual Review of Psychology. Palo Alto, CA: Annual Reviews.

DOWNEY, H.K., HELLRIEGEL, D., SLOCUM, J.W. Jr (1975). Congruence between individual needs, organizational climate, job satisfaction and performance. *Academy of Management Journal*, 18 (1), 149-155.

GATEWOOD, R.D., FEILD, H. (1994). Human Resource Selection, 3rd edition, Dryden Press.

GILLILAND, S.W. (1993). The perceived fairness of selection systems: an organizational justice perspective. *Academy of Management Review*, 18, 694-734.

GILMOR, D.C., FERRIS, G.R. (1989). The effects of applicant impression management tactics on interviewer judgements. *Journal of Management*, 15 (4), 557-564.

GOLEMAN, D. (1995). L'intelligence émotionnelle. Comment transformer ses émotions en intelligence. Robert Lafond.

HAUSKNECHT, J.P., DAY, D.V., THOMAS, S.C. (2004). Applicant reactions to selection procedures: an updated model and meta-analysis. *Personnel Psychology*, 57 (3), 639-684.

HAZER, J.T., JACOBSON, J.R. (2003). Effects of screener self-monitoring on the relationships among applicant positive self-presentation, objective credentials, and employability ratings. *Journal of Management*, 29 (1), 119-138.

HIGGINS, C.A., JUDGE, T.A. (2004). The effect of applicant influence tactics on recruiter perceptions of fit and hiring recommendations: a field study. *Journal of Applied Psychology*, 89 (4), 622-632.

JUDGE, T.A., BRETZ, R.D. (1992). Effects of work values on job choice decisions. *Journal of Applied Psychology*, 77, 261-271.

JUDGE, T.A., CABLE, D.M. (1997). Applicant personality,

organizational culture, and organizational attraction. *Personnel Psychology*, 50, 359, 394.

KRISTOF, A.L. (1996). Person-organization fit: an integrative review of its conceptualizations, measurement, and implications. *Personnel Psychology*, 49, 1-49.

KRISTOF-BROWN, A.L., ZIMMERMAN, R.D., JOHNSON, E.C. (2005). Consequences of individual's fit at work: a meta-analysis of person-job, person-organization, person-group and person-supervisor fit. *Personnel Psychology*, 58 (2), 281-301.

LANDY, F.J., SHANKSTER, L.J., KOHLER, S.S. (1994). Personnel selection and placement. *Annual Review of Psychology*, 45, 261-296.

LATHAM, G.P., SUE-CHAN, C. (1998). Selecting employees in the 21st century: predicting the contribution of industrial-organizational psychology to Canada. *Canadian Psychology*, 39 (1-2), 14-22.

LIEVENS, F., VAN DAM, K., ANDERSON, N. (2002). Recent trends and challenges in personnel selection. *Personnel Review*, 31 (5-6), 580-604.

McGONIGLE, T.P., PERKINS, L.A., HARVEY, J.L., SIDEMAN, L.A. (2004). The relationship between applicant reactions and outcomes: a meta-analysis, Paper presented in the symposium "Understanding the consequences of applicant reactions", at the 19th annual meeting of the Society for Industrial and Organizational Psychology. April 2-4, Chicago, Illinois.

MERCIER, S. (2005). Mesure de la compatibilité entre les valeurs de l'individu et celles de l'environnement de travail, essai doctoral inédit, Département de Psychologie, Université du Québec à Montréal.

MORIN, E.M., SAVOIE, A., BEAUDIN, G. (1994). L'efficacité de l'organisation. Théories, représentations et mesures. Montréal: Gaétan Morin.

MOUNT, M.K., BARRICK, M.K. (1995). The Big Five personality dimensions: Implications for research and practice in human resource management, in G.R. Ferris (Ed.), Research in Personnel and Human Resources Management, vol. 13, Greenwich, CT: JAI Press, p. 153-200.

O'REILLY, C.A., CHATMAN, J., CALDWELL, D.F. (1991). People and organizational culture: a profile comparison approach to assessing person-organization fit. *Academy of Management Journal*, 34 (3), 487-516.

PETTERSEN, N. (2000). Évaluation du potentiel humain dans les organisations. Élaboration et validation d'instruments de mesure. Presses de l'Université du Québec.

PETTERSEN, N., DURIVAGE, A. (2006). L'entrevue structurée, pour améliorer la sélection du personnel. Presses de l'Université du Québec.

PLOYHART, R.E., RYAN, R.M. (1997). Toward an explanation of applicant reactions: an examination of organizational justice and attribution frameworks. *Organizational Behavior and Human Decision Processes*, (72), 308-335.

POTOSKY, D., BOBKO, P. (2004). Selection testing via the Internet: practical considerations and exploratory empirical findings. *Personnel Psychology*, 57 (4), 1003-1035.

RYAN, A.M., PLOYHART, R.E. (2000). Applicant's perception of selection procedures and decisions: a critical review and agenda for the future. *Journal of Management*, 26, 639-684.

RYAN, A.M., PLOYHART, R.E., GREGURAS, G.J., SCHMIT, M.J. (1998). Test preparation programs in selection contexts: self-selection and program effectiveness. *Personnel Psychology*, 51, 599-642.

RYNES, S.L. (1993). Who's selecting whom? Effects of selection practices on applicant attitudes and behavior, in N. Schmitt, W. Borman & ass. (Eds), Personnel Selection in Organizations, San Francisco: Jossey-Bass, p. 240-274.

SAKS, A.M., ASHFORTH, B.E. (1997). A longitudinal investigation of the relationships between job information sources, applicant perceptions of fit, and work outcomes. *Personnel Psychology*, 50 (2), 395-426.

SCHNEIDER, B. (1987). The people make the place. *Personnel Psychology*, 40, 437-453.

SCHNEIDER, B., BOWEN, D.E. (1985). Employee and customer perceptions of service in banks: replication and extension. *Journal of Applied Psychology*, 57, 248-256.

SCHNEIDER, B., GOLDSTEIN, H.W., SMITH, D.B. (1995). The ASA framework: an update. *Personnel Psychology*, 48, 747-773.

SLAUGHTER, J.E., STANTON, J.M., MOHR, D.C., SCHOEL, W.A. (2005). The interaction of attraction and selection: implications for college recruitment and Schneider's ASA model. *Applied Psychology*, 54 (4), 419-441.

SPENCER, L.M., SPENCER, S.M. (1993). Competence at Work, Models for Superior Performance. John Wiley and Sons.

STEVENS, C.K., KRISTOF, A.L. (1995). Making the right impression: a field study of applicant impression management during job interviews. *Journal of Applied Psychology*, 80, 587-606.

TETT, R.P., JACKSON, D.N., ROTHSTEIN, M. (1991). Personality measures as predictors of job performance: a meta-analytic review. *Personnel Psychology*, 44, 703-742.

TOM, V.R. (1971). The role of personality and organizational images in the recruiting process. *Organizational Behavior and Human Performance*, 6, 573-592.

TSAI, W.C., CHEN, C.C., CHIU, S.F. (2005). Exploring boundaries of the effects of applicant impression management tactics in job interviews. *Journal of Management*, 31 (1), 108-125.

TZINER, A. (1987). Congruency issue retested using Fineman's achievement climate notion. *Journal of Social Behaviour and Personality*, 2, 63-78.

TZINER, A., JEANRIE, C., CUSSON, S. (1993). La sélection du personnel; concepts et applications. Éditions Agence d'Arc.

VAN VIANEN, A.E.M. (2000). Person-organization fit: the match between newcomers' and recruiters' preferences for organizational culture. *Personnel Psychology*, 53 (1), 113-149.

VERQUER, M.L., BEEHR, T.A., WAGNER, S.H. (2003). A meta-analysis of relations between person-organization fit and work attitudes. *Journal of Vocational Behavior*, 63, 473-489.

WANOUS, J.P. (1980). Organizational Entry: Recruitment, Selection and Socialization of Newcomers. Reading, M.A.: Addison Wesley.

# Chapitre 2

# *La socialisation organisationnelle*

# Partie 1

## *Perspective organisationnelle : Le processus de socialisation*

Même si plusieurs précautions ont été prises lors du processus de sélection pour s'assurer que les valeurs des personnes embauchées soient congruentes avec le milieu de travail, beaucoup reste à faire après l'embauche afin de favoriser l'adhésion à la culture organisationnelle. En fait, la phase d'entrée en fonction mérite une attention particulière de la part de l'employeur qui souhaite consolider l'harmonisation déjà amorcée.

Ce travail, qui consiste à socialiser l'individu à l'organisation, est pourtant négligé par plusieurs gestionnaires qui croient à tort le processus bouclé dès que leur choix s'est arrêté sur le meilleur candidat et que ce dernier a accepté de faire le saut dans l'entreprise. Certes, bon nombre d'employeurs mènent des activités d'accueil auprès de leurs nouvelles recrues et ont même implanté des programmes d'orientation élaborés en vue de faciliter leur intégration dans l'entreprise. Toutefois, bien qu'elles soient répandues, ces pratiques s'exercent le plus souvent d'une manière routinière et désincarnée des objectifs et des fondements qui la soustendent. À cet égard, la socialisation des employés demeure un phénomène complexe et méconnu qui prend tout son sens dans la mesure où il peut favoriser le succès au travail, l'évolution de la carrière et même la rétention du personnel.

Par définition, la socialisation organisationnelle est le processus qui conduit l'employé à adopter les valeurs et les comportements nécessaires pour lui permettre de tenir efficacement les différents rôles confiés par l'organisation (Van Maanen et Schein, 1979). Il s'agit donc essentiellement d'un processus d'apprentissage au cours duquel l'individu internalise et s'approprie les valeurs et les normes en vigueur dans son entreprise (Wanous, 1980).

Si la socialisation permet l'apprentissage de nouveaux rôles, on comprendra d'emblée qu'elle ne se limite pas à l'étape, pourtant déterminante, d'entrée dans l'organisation. Chaque transition vers un nouveau rôle dans et à l'extérieur de l'organisation est soumise à un processus de socialisation (Van Maanen et Schein, 1979). En ce sens, la socialisation est présente tout au long de la carrière et elle en influence même l'évolution. C'est précisément son rapport étroit avec la carrière qui explique le regain d'intérêt pour le phénomène de socialisation organisationnelle. En effet, les transformations du marché de l'emploi, l'éclatement des carrières qui en a découlé multiplient les transitions que les individus sont appelés à vivre et, par conséquent, les occasions d'adaptation et d'intégration à de nouveaux rôles.

Par le passé, la socialisation organisationnelle a déjà subi mauvaise presse alors qu'on lui reprochait de viser un endoctrinement par lequel on tentait de faire entrer l'individu dans un moule en utilisant diverses tactiques de manipulation et de séduction (Lewicki, 1981). Compte tenu des valeurs d'individualisme prônées par la génération montante (génération Y), ce danger d'endoctrinement est pratiquement écarté de nos jours. En retournant aux principes jadis énoncés par Schein, on comprend que la socialisation sera réussie dans la mesure où elle génère une certaine conformité à travers l'adhésion à des valeurs organisationnelles essentielles tout en permettant à l'employé d'exprimer son individualité et sa créativité (Schein, 1968, cité dans Lacaze et Fabre, 2005).

Dans cette optique, nous amorcerons la perspective organisationnelle de ce chapitre en décrivant les principales phases du processus de socialisation organisationnelle. Il sera ensuite question des moyens auxquels les gestionnaires et les employés peuvent recourir pour faciliter l'intégration au travail de même que des conséquences associées à une intégration réussie. En conclusion, nous dresserons un parallèle entre le concept de socialisation et celui de succès en carrière qui fera l'objet de la deuxième partie du chapitre consacrée à la perspective individuelle.

## Stades de socialisation

### *Socialisation par anticipation*

Cette première étape de socialisation s'opère à deux moments de la carrière: d'abord, elle débute avant même l'entrée de l'individu dans l'organisation, c'est-à-dire préalablement à l'embauche; la socialisation par anticipation précède également chacun des changements de poste que l'employé aura l'occasion d'effectuer durant son séjour dans l'entreprise (Feldman, 1981).

Bien que les experts en matière de socialisation organisationnelle aient davantage mis l'accent sur ce qui se passe après l'entrée de la nouvelle recrue dans l'entreprise (Van Maanen et Schein, 1979; Wanous, 1992), on reconnaît de plus en plus que les expériences vécues avant l'embauche ont un rôle important à jouer dans l'ajustement au travail et au milieu du travail (Porter *et al.*, 1975; Scholarios *et al.*, 2003). En particulier, l'étape de transition entre le milieu universitaire et le monde du travail a reçu de l'attention de la part des chercheurs dans la mesure où elle contribuerait déjà au développement de la carrière du nouveau diplômé (Garavan et Morley, 1997). Selon Stewart et Knowles (1999), le fait de renseigner les sortants d'université sur les opportunités de carrière dans leur domaine et de les inciter à être proactifs envers les employeurs potentiels dans leur démarche de recherche d'emploi peut favoriser à plus long terme la gestion individuelle de la carrière.

Cela dit, ce sont principalement les activités rattachées au recrutement et à la sélection qui participent au processus de socialisation par anticipation à travers les informations et les messages qui y sont véhiculés.

En effet, le recrutement par lequel l'entreprise cherche à attirer des candidats en vue de combler des postes vacants représente une occasion unique de sensibilisation à la culture d'entreprise. Ainsi, les renseignements pertinents à divulguer lors de cette étape concernent non seulement le poste à pourvoir et ses exigences, mais également la description de l'organisation, de sa mission et de ses valeurs.

Certes, le piège insidieux qui guette les organisations à ce stade-ci consiste à projeter une image non conforme à la réalité ou à transmettre des informations erronées (sur les possibilités de carrière, par exemple), en vue d'améliorer le bassin de candidatures. Ce faisant, elles risquent de susciter des attentes irréalistes et éventuellement provoquer des départs (Wanous, 1980) chez des personnes qui auront eu le sentiment d'avoir été bernées par leur employeur.

Bien que les candidats commencent à se forger une image de l'entreprise et du rôle qu'ils pourraient y tenir dès le recrutement, c'est au cours du processus de sélection que la socialisation (par anticipation) se concrétise davantage. À cet égard, la qualité du contact avec les personnes ressources, le traitement qu'ils reçoivent tout au long du processus et la perception qu'ils entretiennent face aux instruments de sélection utilisés sont autant de facteurs qui vont influencer les opinions et les attitudes des candidats à l'endroit des employeurs potentiels. Comme nous l'avons vu au chapitre précédent, leur jugement serait notamment influencé, à ce stade-ci, par l'équité et la transparence qui se dégagent du processus.

En somme, cette première étape de socialisation permet déjà d'optimiser la compatibilité individu-organisation dont nous avons traité antérieurement, en fournissant à l'individu les informations lui permettant de juger par lui-même dans quelle mesure une organisation et/ou un poste lui conviennent. Cela dit, la réussite de cette étape repose sur deux principes: le principe de réalité et le principe de congruence (Feldman, 1976; Gibson *et al.*, 1982). Le fait d'avoir une idée claire et représentative du milieu et des tâches qui l'attendent (principe de réalité) tout en sachant que ses compétences et habiletés seront mises à contribution (principe de congruence) sont deux critères déterminants dans l'acceptation d'une offre d'emploi par un candidat et, le cas échéant, dans le degré de satisfaction qu'il va retirer de son emploi (Feldman, 1976).

Le processus de socialisation par anticipation n'est pas exclusivement réservé aux nouvelles recrues. Comme nous le disions plus tôt, il a sa raison d'être à chaque fois qu'un membre de l'organisation est appelé à occuper un nouveau poste dans l'entreprise et qu'il change de rôle ou de secteur dans l'entreprise. Qu'il s'agisse d'une promotion, d'une mutation ou d'une rétrogradation, toute transition de carrière comporte son lot de stress et nécessite une adaptation de la part de l'employé qui peut s'amorcer avant même son affectation dans le nouveau poste (Feldman, 1981). Dans ces cas, les informations transmises lors du processus de dotation à l'interne doivent permettre à l'employé de connaître les tâches et responsabilités inhérentes au poste affiché. De surcroît, l'employé devrait être en mesure de saisir, dès cette étape, la place et le rôle d'une nouvelle affectation dans son cheminement de carrière.

En raison de la flexibilité dont veulent se doter les entreprises, les mouvements latéraux tout comme les mouvements vers le bas de la hiérarchie représentent de plus en plus des voies intéressantes à la promotion et à la carrière linéaire traditionnelle. En vertu des principes de réalité et de congruence, il importe que les employés comprennent que les affectations proposées s'inscrivent dans les cheminements de carrière réellement disponibles dans l'organisation et qu'en plus, ils se sentent en harmonie avec ces affectations.

### *Intégration*

Cette deuxième phase de socialisation, appelée intégration, débute lors de l'entrée en fonction et est généralement considérée comme la plus importante de tout le processus (Feldman, 1976). Il s'agit d'une étape cruciale d'apprentissage ayant des répercussions sur plusieurs composantes de l'expérience de travail de l'employé, dont son rendement. Il s'agit notamment d'une étape déterminante pour la suite de la carrière de l'individu (Lacaze et Fabre, 2005). Cette étape est souvent décrite comme fortement anxiogène en raison des nombreuses incertitudes auxquelles le nouvel arrivant doit faire face, en particulier celles qui sont inhérentes à l'acquisition éventuelle d'un statut de permanence. En effet, ce statut est généralement conditionnel à une période d'essai ou de probation qui s'amorce en même temps que l'entrée en fonction. Également, cette étape d'intégration s'accompagne parfois d'un choc de la réalité occasionné par le décalage entre les attentes avant l'embauche et ce qui est vécu après (Wanous, 1992). À cet égard, Louis (1980a) évoque la notion de «surprise» pour décrire la réaction affective de l'employé au moment où il prend conscience que la réalité organisationnelle ne correspond pas à ce qu'il avait souhaité. Incidemment, plus la phase antérieure aura été marquée de réalisme et de congruence, moins le stress vécu dans la phase d'intégration risque d'être élevé (Gibson *et al.*, 1982). Il n'en demeure pas moins que la diversité des demandes faites aux nouvelles recrues exerce une pression qui en elle-même représente une source de stress non négligeable.

Pour mieux cerner la teneur de la phase d'intégration, il convient de l'analyser en regard des quatre dimensions de l'expérience de travail qui requièrent un apprentissage de la part du nouvel employé. Dans la documentation scientifique, on réfère à ces dimensions en tant que quatre domaines de socialisation qui correspondent chacun aux résultats obtenus à la suite d'un apprentissage (Lacaze, 2004). À ce jour, plusieurs auteurs ont proposé des modèles et des synthèses de ces domaines (Fisher, 1986; Chao *et al.*, 1994; Lacaze et Fabre, 2005) dont voici un bref aperçu[5].

Le domaine du fonctionnement au sein du groupe de travail renvoie à l'intégration sociale de la recrue dans sa nouvelle équipe. Celle-ci doit apprendre à décoder les comportements de ses collègues et à adopter elle-même les comportements qui vont favoriser son acceptation par l'équipe. Elle doit également se familiariser avec les aspects politiques et tenter de découvrir les relations de pouvoir informelles qui prévalent.

La maîtrise de la tâche concerne l'ensemble des règles, procédures ainsi que le langage à apprendre pour être efficace dans son travail. À cela s'ajoute la maîtrise du rôle par laquelle l'employé arrive à bien saisir l'ampleur de ses responsabilités et la place qu'il occupe dans l'organisation.

À un niveau plus « macro », la connaissance de l'organisation fait partie des domaines de socialisation dans la mesure où le nouvel arrivant doit se sensibiliser autant avec les aspects formels de l'entreprise (rémunération, hiérarchie, règlements et politiques) qu'avec les dimensions informelles et plus cachées (culture, valeurs).

Enfin, la socialisation passe nécessairement par un apprentissage personnel au cours duquel l'employé évalue les progrès réalisés et la qualité de son intégration. Il s'agit d'un domaine particulièrement important en regard du développement de la carrière puisque l'individu peut être amené à se découvrir de nouvelles motivations et aspirations auxquelles il tentera de répondre dans ses futurs choix d'emplois et d'employeurs. Et, comme nous le verrons plus tard,

5. Pour une synthèse exhaustive, voir Lacaze et Fabre (2005).

l'évolution de l'identité et de l'image de soi qui caractérise cette étape risque d'avoir un impact non seulement sur le déroulement, mais aussi sur le succès en carrière.

Pour conclure, mentionnons qu'en plus de réduire l'anxiété, cette étape peut permettre de maintenir l'enthousiasme et l'engagement qui animent un employé à son arrivée dans une nouvelle entreprise ou un nouveau poste.

### *Adaptation*

C'est au cours de la phase d'adaptation que l'individu apprend à gérer son rôle, c'est-à-dire à se comporter selon les attentes que les divers groupes de son entourage (collègues, supérieurs, clients) peuvent entretenir à son endroit. Cet ajustement se fait principalement par la résolution des conflits et de l'ambiguïté liés au rôle.

Par définition, un conflit de rôle se produit lorsque l'individu doit faire face simultanément à des attentes ou à des demandes contradictoires de sorte que la satisfaction des premières entrave la satisfaction des deuxièmes (Kahn *et al.*, 1964, cités dans Pépin, 1999).

Le premier type de conflit renvoie donc aux tensions et contradictions qui résultent des attentes au travail et à l'extérieur du travail. On peut penser au conflit qui résulterait de responsabilités professionnelles qui seraient incompatibles avec des valeurs familiales. Le deuxième type de conflit peut survenir lorsque les attentes de l'équipe de travail s'avèrent incompatibles à celles d'autres groupes appartenant au réseau de rôles. Ainsi, un nouveau gestionnaire peut se retrouver dans cette situation inconfortable si les attentes relatives à la productivité de ses subordonnés diffèrent selon qu'elles proviennent de ces derniers ou de son supérieur.

Outre les conflits qui placent la nouvelle recrue dans un état de tension, celle-ci doit apprendre à composer avec l'ambiguïté liée à son rôle qui peut se manifester lorsqu'elle manque d'informations concernant les attentes de l'entourage, ou encore lorsqu'elle ne saisit pas bien les moyens à prendre pour répondre aux attentes (Pépin, 1999).

Les conflits, tout comme l'ambiguïté de rôle, représentent des situations potentiellement anxiogènes que l'individu a tout intérêt à résoudre pour bien performer, voire conserver son emploi. Cette dernière phase de socialisation nécessite donc qu'il identifie et mette en œuvre les stratégies qui vont lui permettre de comprendre, réconcilier et répondre aux attentes des divers groupes à son endroit. En ce sens, les choix qu'il aura à faire pourront avoir des répercussions importantes sur le déroulement de sa carrière.

Comme on peut le constater, les trois stades de socialisation portent sur des apprentissages différents et comportent de ce fait des enjeux différents. Par conséquent, la socialisation ne peut être considérée achevée tant que les individus n'ont pas franchi les trois stades. La durée de tout le processus est cependant très variable (quelques semaines à quelques mois) selon les personnes. Et, comme nous le verrons dans la prochaine section, il existe également une grande variation dans les procédés auxquels les organisations peuvent recourir pour tenter de faire adhérer les employés à leur culture.

## Tactiques organisationnelles de socialisation

Le terme tactique est employé pour décrire les méthodes qu'une organisation peut utiliser pour favoriser la socialisation de ses nouvelles recrues. Alors que les domaines présentés plus haut permettent de cerner l'objet des apprentissages visés par la socialisation, les tactiques représentent l'expression concrète et opérationnelle des moyens mis en œuvre par l'entreprise en vue de favoriser les apprentissages relatifs à chacun de ces domaines.

Le modèle jadis élaboré par Van Maanen et Schein (1979) demeure d'actualité pour circonscrire exhaustivement l'ensemble des possibilités qui s'offrent aux employeurs soucieux de socialiser les nouveaux employés. Selon ce modèle, les diverses options sont regroupées en six dimensions bipolaires, chacun des pôles représentant une extrémité d'un continuum. Ainsi, les tactiques sont qualifiées d'individuelles ou de collectives selon que les recrues sont socialisées seules ou en groupe. Les tactiques relatives à l'investissement permettent à l'employé de se distinguer et d'affirmer sa personnalité tandis que les tactiques de désinvestissement visent plutôt à modeler l'employé de façon à ce qu'il se confonde à son groupe. Le tableau 3 résume le modèle et apporte quelques exemples de tactiques.

## TABLEAU 3

## Modèle de socialisation organisationnelle[6]

| TACTIQUES | DÉFINITION | EXEMPLE |
|---|---|---|
| collectives | le nouveau membre est intégré en groupe | visite d'entreprise en groupe |
| individuelles | le nouveau membre est isolé et laissé à lui-même | apprentissage sur «le tas» |
| formelles | le nouveau membre est tenu à l'écart des autres et ne bénéficie pas du même statut pendant l'intégration | entraînement à l'Institut de police |
| informelles | le nouveau membre est mêlé aux autres et jouit du même statut qu'eux | entraînement au poste de serveur dans un restaurant |

6. Source: Inspiré de J. Van Maanen (1978). *People processing: strategies of organizational socialization, Organizational Dynamics*, 7, 19-36.

| | | |
|---|---|---|
| séquentielles | le nouveau membre passe par une série d'étapes distinctes | résidence en médecine |
| non séquentielles | la transition vers le nouveau rôle se fait en un seul stade | promotion à un poste de gestion |
| fixes | le nouveau membre connaît à l'avance la durée de son intégration | entraînement de X semaines pour devenir représentant commercial |
| variables | la durée de l'intégration n'est pas prévue à l'avance et peut changer selon les progrès du nouveau membre | étudiant au doctorat |
| en série | le nouveau membre peut profiter de l'expérience de modèles | programme de mentorat dans l'entreprise |
| séparées | le nouveau membre ne peut profiter d'aucun modèle | le nouveau membre occupe un poste nouvellement créé |
| investissement | l'organisation reconnaît et valorise les caractéristiques personnelles du nouveau membre | troupe de théâtre |
| désinvestissement | l'organisation cherche à freiner l'expression de la personnalité pour modeler le nouveau membre | secte religieuse |

Pour mieux capturer l'effet de continuum du modèle, Jones (1986), en a regroupé les 6 dimensions en deux catégories très larges et opposées: les tactiques dites institutionnalisées (collectives, formelles, séquentielles, fixes et d'investissement) et les tactiques dites individualisées (individuelles, informelles, non séquentielles, variables, séparées et de désinvestissement).

De cette manière, il est plus aisé de concevoir que les tactiques dites «institutionnalisées» renvoient à des pratiques structurées de socialisation initiées par l'entreprise, alors que les tactiques dites «individualisées» reflètent une absence de structure et sont initiées par les employés eux-mêmes (Ashforth et Saks, 1996).

Ainsi, l'échelle de Jones (1986) permet deux avancées intéressantes. En distinguant le pôle organisation et le pôle individu, elle met en exergue le partage des responsabilités et des initiatives en matière de socialisation. Par ailleurs, en simplifiant le modèle de Van Maanen et Schein, les travaux de Jones donnent le coup d'envoi à un courant de recherches prolifique visant à analyser l'effet de diverses tactiques de socialisation sur les attitudes et les comportements des employés.

## Effets de la socialisation

En théorie, les tactiques institutionnalisées devraient aider l'employé à s'adapter à son rôle. À cet égard, Jones (1986) affirme que les tactiques institutionnelles procurent à la fois le soutien et l'information nécessaires pour atténuer l'anxiété et l'incertitude des personnes qui entrent dans une nouvelle entreprise ou qui exercent une nouvelle fonction.

Par exemple, les programmes de formation et d'orientation (tactiques collectives et formelles) vont aider les nouveaux arrivants à découvrir ce qu'ils doivent connaître à propos de l'organisation et de leur poste, notamment les compétences à maîtriser pour être efficaces dans leur rôle. Également, les informations explicites qu'on leur transmet sur les possibilités de carrière (tactiques fixes et séquentielles) peuvent les aider à entrevoir la progression de leur carrière dans l'entreprise (Cable et Parsons, 2001).

Comparativement aux tactiques individualisées, les tactiques institutionnalisées auraient tendance à procurer un environnement stimulant, lequel en retour contribuerait à l'attachement envers l'organisation (King *et al.*, 2005). En offrant des activités d'accueil et d'intégration structurées à ses nouveaux employés, l'organisation leur transmet le message qu'ils ont de la valeur pour elle. De surcroît, plus les pratiques sont élaborées, plus les employés auront le sentiment qu'ils jouent un rôle important et signifiant, et plus ils seront satisfaits et engagés envers leur organisation (Pierce *et al.*, 1989, cités dans King *et al.*, 2005). En encourageant l'adhésion aux valeurs organisationnelles, le processus de socialisation peut être vu comme un mécanisme puissant de consolidation de la compatibilité individu-organisation (Cable et Parsons, 2001 ; Chatman, 1991).

C'est donc dans cette optique qu'un nombre imposant de recherches empiriques a été conduit en vue d'illustrer comment les tactiques institutionnelles favorisent l'ajustement au rôle et l'engagement envers l'organisation.

En général, ces études ont démontré que les pratiques institutionnelles sont d'une part négativement reliées à l'ambiguïté de rôle, au conflit de rôle, à l'intention de quitter (Jones, 1986; Ashforth et Saks, 1996) et au stress (Ashforth et Saks, 1996); et d'autre part positivement reliées à la satisfaction au travail (Baker et Feldman, 1990; Ashforth et Saks, 1996; Jones, 1986; Riordan *et al.*, 2001) et à l'engagement envers l'organisation (Ashforth et Saks, 1996; Allen et Meyer, 1990; Baker et Feldman, 1990; Riordan *et al.*, 2001 ; King *et al.*, 2005).

En clair, ceci signifie que lorsqu'une organisation prend des mesures concrètes pour intégrer ses nouveaux employés, ceux-ci ont plus de facilité à comprendre ce qu'on attend d'eux, se sentent plus confortables dans leur poste et manifestent moins fréquemment le désir de quitter leur emploi, comparativement aux employés qui n'auraient pas bénéficié de ce genre de pratiques. Les efforts de socialisation contribueraient donc à développer chez les employés des attitudes positives envers leur employeur qui pourraient les inciter à demeurer membres de l'organisation. Il convient cependant de souligner que les tactiques institutionnalisées tendraient à inhiber le sens de l'innovation des nouveaux arrivants, tout en générant chez eux plus de conformité dans les comportements que ne le feraient les tactiques individualisées (Ashforth et Saks, 1996).

Malgré l'intérêt qu'ils présentent, il convient de mettre un bémol sur les résultats de certaines de ces études qui ont été sévèrement critiquées. On leur a notamment reproché d'avoir utilisé des mesures de socialisation trop indirectes ou imparfaites (Lacaze et Fabre, 2005; Bourhis, 2004). En outre, les indicateurs de socialisation utilisés dans les études précitées sont généralement des attitudes au travail (satisfaction, engagement, intention de quitter) faciles à mesurer à l'aide d'instruments validés, mais qui ne seraient pas suffisamment reliées à la variable sous-jacente de socialisation organisationnelle et qui, par conséquent, peuvent prêter à des conclusions erronées. Également, la majorité de ces études utilisent un schème transversal de sorte que la variable temps et le caractère dynamique du processus de socialisation s'en trouvent occultés (Lacaze et Fabre, 2005). Heureusement, un récent courant de recherches s'emploie à développer des indicateurs davantage pertinents et précis tout en utilisant de plus en plus une méthodologie longitudinale. En dépit des percées fort louables dans le raffinement de la mesure, beaucoup reste à faire pour maîtriser la dynamique du processus de socialisation (Lacaze et Fabre, 2005). Et, comme le souligne habilement Bourhis (2004), tout ce travail d'amélioration de la mesure comporte néanmoins le piège insidieux de prendre le dessus sur les efforts de conceptualisation d'un construit multidimensionnel et complexe.

## Tactiques individuelles de socialisation

L'exploration du modèle de Van Maanen et Schein a permis de constater que l'organisation n'est pas l'unique maître d'œuvre en matière de socialisation. L'individu, de sa propre initiative, peut s'engager dans certaines activités qui vont faciliter son intégration dans l'entreprise, s'il s'agit d'une nouvelle recrue, ou dans un nouveau rôle, s'il s'agit d'un employé qui change de poste. C'est dans cette optique que certains auteurs (Mignery *et al.*, 1995; Lacaze et Fabre, 2005) traitent du rôle proactif des recrues pour illustrer les efforts qu'elles déploient en vue de réussir leur intégration.

La littérature reconnaît principalement quatre types de comportements proactifs individuels: la recherche d'informations, l'expérimentation, l'autogestion et le développement de relations. La recherche d'informations concerne les tactiques mises en branle par l'individu pour acquérir différents types d'informations (techniques, feed-back) auprès de sources variées (supérieur, collègues, mentor). L'expérimentation vise l'acquisition du savoir-faire suivant un procédé essai-erreur. À travers l'autogestion, l'employé se fixe lui-même des objectifs d'apprentissage et s'autorenforce lorsqu'il les atteint. Le développement de relations renvoie aux tentatives initiées en vue de créer des relations harmonieuses avec l'entourage.

Si l'on admet que l'individu, par les actions qu'il entreprend, a un rôle important à jouer dans son intégration, il n'en demeure pas moins que l'effet de ces tactiques risque d'être influencé par la présence de stratégies organisationnelles de socialisation. À cet égard, quelques recherches ont démontré qu'en instaurant des tactiques institutionnalisées, les organisations créent un contexte qui favorise les comportements proactifs d'intégration dont la recherche d'information (Cooper-Thomas et Anderson, 2002; Mignery *et al*, 1995). En ce sens, il faut voir que les démarches de socialisation entreprises par l'organisation et par l'individu se complètent et se renforcent mutuellement. En l'absence de tactiques institutionnelles, l'individu n'aura d'autre choix que d'essayer par lui-même de créer les contacts et d'aller chercher les informations nécessaires à son intégration. Si l'organisation fait sa part, il devient alors plus facile pour la personne d'identifier les bonnes ressources et d'en tirer des enseignements qui seront profitables aux deux parties.

## Socialisation et développement de la carrière

Grâce aux travaux d'experts tels que Van Maanen, Schein et Hall, la relation étroite entre le processus de socialisation et le développement de la carrière est désormais clairement établie. De toute évidence, le premier lien qui s'impose est celui de la perspective temporelle commune aux deux phénomènes. Tout comme le processus de socialisation, l'évolution de la carrière d'un individu s'inscrit dans une perspective temporelle marquée par un découpage en stades. Aussi, la carrière suppose un cheminement ponctué de transitions vers de nouveaux rôles dont l'adaptation repose sur des pratiques de socialisation. Ce lien est d'ailleurs exacerbé du fait des multiples transitions qui caractérisent les nouvelles carrières. Enfin, socialisation efficace et réussite en carrière vont de pair. Si l'individu traverse avec succès les trois stades du processus de socialisation, il augmente alors ses chances de faire progresser sa carrière au sein de l'organisation. Les diverses tactiques de socialisation, qu'elles soient initiées par l'organisation ou par l'employé lui-même, peuvent donc contribuer à favoriser non seulement le développement de sa carrière mais aussi le succès qu'il peut en retirer.

## Socialisation et stades de carrière

En ce qui a trait aux différentes phases du déroulement de la carrière, ce sont principalement les trois grands stades du début, du milieu et de la fin de la carrière qui sont les plus susceptibles d'être influencés pas le processus de socialisation. Il a été largement démontré que les besoins et les attentes changent au fur et à mesure que l'individu traverse ces étapes marquantes de la vie professionnelle.

En début de carrière, les jeunes diplômés s'attendent notamment à utiliser pleinement leur potentiel, à se voir confier des responsabilités alignées à leur formation, à jouir d'une certaine autonomie tout en bénéficiant d'un bon encadrement et du soutien de leur supérieur immédiat (Carrière, 1998, cité dans Dolan *et al.*, 2002). Outre des attentes élevées, cette étape est marquée par une forte anxiété liée aux nombreux apprentissages que la nouvelle recrue doit réaliser. En conséquence, la socialisation résultant de tactiques d'intégration bien ciblées devrait permettre de maintenir l'enthousiasme de départ, de réduire le niveau de stress et de pallier, s'il y a lieu, le choc de la réalité décrit précédemment. Par ailleurs, le rôle déterminant du premier emploi et de l'intégration s'y rattachant sur la progression de la carrière au sein de l'organisation est abondamment documenté.

L'étape de la mi-carrière, souvent décrite comme une période difficile principalement en raison de la crise du mitan de la vie qui lui est associée, pose des défis particuliers en termes d'adaptation au travail. Parmi ceux-ci, le phénomène du plafonnement (de carrière), généralement défini comme la cessation temporaire ou définitive de la mobilité verticale, a suscité beaucoup d'intérêt tant chez les praticiens que chez les chercheurs, à cause des nombreuses conséquences négatives qui lui sont rattachées. Or, les effets négatifs du plafonnement sur le rendement et la satisfaction au travail sont souvent attribués aux attentes trop élevées et irréalistes que les personnes entretiennent à l'égard de leur carrière (Orpen, 1983).

L'expérience d'un plafonnement à la mi-carrière est particulièrement frustrante et démotivante dans la mesure où elle contraint les employés touchés à diminuer leurs attentes et à revoir à la baisse leurs objectifs de carrière. Des pratiques de socialisation idoines par lesquelles les employés sont clairement informés des opportunités réelles d'avancement dans leur entreprise devraient leur permettre de développer des attentes plus réalistes et de se préparer psychologiquement à faire face à un ralentissement dans la progression de leur carrière. Comme plusieurs l'ont souligné, le supérieur immédiat joue un rôle primordial dans la gestion des personnes plafonnées (Tremblay, 1992). C'est à lui que revient la tâche de donner l'heure juste quant aux possibilités de carrière, d'enrichir les tâches et de soutenir la motivation des personnes en plateau tout en cherchant à atténuer le sentiment d'échec qui les menace au mitan de la vie.

Par ailleurs, le besoin de générativité, très présent à cette période de la vie, peut être comblé en permettant aux personnes qui traversent ce stade d'agir comme mentors auprès des nouvelles recrues (Hall et Isabella, 1985). Cette stratégie permet de réaliser d'une pierre deux coups. D'une part, les jeunes employés profitent de l'expérience des plus anciens qui agissent comme agents socialisateurs à leur endroit; d'autre part, les employés plus âgés répondent à leur besoin de laisser une marque en apportant une sorte de contribution permanente et valorisante à l'organisation (Cascio *et al.*, 1999).

En raison de l'augmentation du vieillissement de la main-d'œuvre, l'étape de la fin de carrière, longtemps laissée pour compte par les chercheurs, a suscité un intérêt croissant au cours des dernières années. La gestion de cette dernière étape de la vie professionnelle représente un enjeu particulier pour les organisations soucieuses de maximiser la contribution des travailleurs vieillissants tout en répondant aux changements dans leurs aspirations professionnelles (Saba et Guérin, 2004). En effet, l'évolution des aspirations tout comme celle des capacités des travailleurs âgés rendent nécessaires l'élargissement des perspectives de carrière ou des avenues leur étant destinées (Dolan *et al.*,2002).

Ces réorientations de carrière qui exigent l'apprentissage de nouveaux rôles peuvent être facilitées par des pratiques de socialisation adaptées aux besoins particuliers du personnel plus âgé. Dans cette optique, Guérin et Wils (1992) suggèrent aux employeurs d'envisager une gestion individualisée de l'étape de fin de carrière, compte tenu que les problèmes rencontrés et l'intensité de ceux-ci peuvent varier d'une personne à l'autre. En somme, l'intégration à un nouveau rôle peut s'avérer bénéfique en fin de parcours dans la mesure où elle peut permettre d'augmenter la motivation et la contribution des travailleurs âgés à l'atteinte des objectifs organisationnels.

## Socialisation et transitions de carrière

L'intérêt de la socialisation en regard de la gestion de carrière est d'autant plus important que le nombre de transitions que les individus sont appelés à vivre au cours de leur vie professionnelle est à la hausse eu égard aux transformations dans l'univers du travail. De toute évidence, la notion de changement de poste et surtout de rôle constitue l'essence même de toute transition de carrière. Si l'on en juge cependant par les nombreuses définitions attribuées à ce phénomène, il semble y avoir un certain consensus relativement au fait que la transition représente un changement majeur soit dans les exigences du rôle ou dans le contexte dans lequel celui-ci est exercé (Nicholson et West, 1989; Louis, 1980b).

L'intérêt d'une telle définition est de capturer autant les transitions liées à la mobilité intraorganisationnelle (promotions, mutations, rétrogradations) et interorganisationnelle (changement d'employeur) que les transitions qui impliquent des changements dans le contenu du poste, sans que le titulaire ne change de position ou de statut (enrichissement de tâches, par exemple). Par extension, une définition semblable permet également de saisir la double composante objective et subjective d'une transition de carrière. La composante objective renvoie au changement de poste ou de contenu dans les tâches, alors que la composante subjective reflète la perception ou encore le changement d'attitude de l'individu dans un poste sans que celui-ci n'ait été modifié.

Les experts en transition de carrière (Louis, 1980b; Nicholson, 1989) insistent sur la nécessité d'un ajustement psychologique pour pallier à l'instabilité, voire au stress qu'un changement de rôle (ou dans le rôle) est susceptible de générer. L'effet de la socialisation comme mécanisme d'adaptation à une transition de carrière a par ailleurs été maintes fois souligné dans la documentation (Guérin et Wils, 1992; Chao *et al.*, 1994; Wanous, 1992). Certains auteurs ont même précisé le type de tactiques (institutionnalisées ou individualisées) appropriées et commenté leur efficacité relative dans l'ajustement au rôle (Jones, 1986; Ashforth et Saks, 1996).

Quoiqu'il en soit, c'est particulièrement par son réseau social et grâce à des relations variées et solides avec différents acteurs du réseau (collègues, supérieurs, clients) que l'individu parviendra à surmonter les transitions et à s'adapter à de nouvelles fonctions (Roques, 2004). Non seulement l'environnement social peut-il favoriser l'ajustement lors d'une transition, mais l'individu peut également utiliser ce réseau pour provoquer des changements de poste et recevoir des propositions qui vont améliorer son statut et faire avancer sa carrière (Higgings, 2001; Roques, 2004).

En somme, la socialisation à l'organisation peut s'avérer profitable à chaque stade de la carrière, et ce, relativement à chacun des changements marquants de la vie professionnelle. Longtemps étudiée en regard du début de la carrière et particulièrement lors de l'étape d'entrée dans l'organisation, la diversité des apprentissages requis à chaque passage rend la socialisation souhaitable tout au long de la carrière. Qui plus est, le processus de socialisation organisationnelle peut non seulement influencer le déroulement de la carrière en favorisant l'adaptation des personnes aux différents rôles qui leur sont confiés, mais il pourrait même conditionner le succès éprouvé face à l'évolution de la carrière. En outre, les pratiques d'intégration sont réputées comme des moyens permettant d'aider les employés à surmonter les problèmes qui nuisent à la progression de leur carrière (Dolan *et al.*, 2002). Or, le succès professionnel représente désormais un enjeu majeur pour tous ceux et celles qui doivent composer avec les bouleversements du marché de l'emploi. Pour mieux cerner les tenants et aboutissants de cette question, nous y consacrons la deuxième partie de ce chapitre.

# Partie 2

## *Perspective individuelle : Le succès en carrière*

Les changements majeurs dans l'univers du travail qui ont cours depuis une vingtaine d'années ont entraîné des changements tout aussi marqués dans les types de fréquentation du marché de l'emploi et dans le déroulement de la vie professionnelle des individus. Qu'il s'agisse des opérations massives de restructuration et de réingénirie des processus, des nouvelles formes d'architecture organisationnelle et des modes d'organisation du travail qui en ont découlé, tous ces facteurs ont contribué à modifier en profondeur la conception traditionnelle de la carrière et, partant, celle du succès en carrière.

De nouveaux concepts comme celui de « carrière sans frontières » aux États-Unis (Arthur et Rousseau, 1996 ; Mirvis et Hall, 1996), de « carrière nomade » en France (Cadin *et al.*, 1999) et de « carrière éclatée » au Québec (Cardinal et Lépine, 1998 ; Cardinal, 1999a) sont introduits pour décrire les nouveaux modèles de carrière qui résultent des transformations du marché de l'emploi. Ces nouveaux parcours professionnels, qui tranchent en tous points avec la carrière linéaire traditionnelle, reflètent bien l'éclatement des balises qui ont guidé pendant longtemps la vie professionnelle des générations précédentes. En outre, l'expression de « carrière éclatée » évoque de façon imagée le caractère soudain, imprévisible, voire éclectique des nombreuses transitions qui constituent l'essence même de ces modèles de carrière en émergence (Cardinal et Lépine, 1998).

Pour mieux comprendre comment ce véritable changement de paradigme a influencé en retour la notion de succès en carrière, il convient de dresser d'abord un parallèle entre les caractéristiques de la carrière dite traditionnelle et celles de la carrière éclatée. Nous traiterons ensuite de la notion complexe et paradoxale de succès en carrière en analysant ses diverses facettes. De là, nous explorerons le phénomène du succès psychologique en tant que conception renouvelée de la réussite professionnelle. Nous accorderons ensuite une attention particulière aux obstacles en carrière dont celui de la perte involontaire d'un emploi, qui représente une entrave majeure et bouleversante à l'évolution de la vie professionnelle. En contrepartie, nous allons exposer les nouvelles opportunités de succès psychologique et traiter de la gestion individuelle de la carrière, en termes de stratégies à adopter et de compétences à développer pour favoriser le succès. L'intérêt pour la problématique de la réussite professionnelle se justifie non seulement du point de vue de ses retombées positives pour l'individu mais aussi de celui des bénéfices que l'organisation peut en retirer. En effet, le succès que les personnes éprouvent en regard de leur carrière peut éventuellement contribuer au succès organisationnel.

## Carrière traditionnelle et carrière éclatée

Dans l'ancien paradigme, la carrière correspondait à une trajectoire relativement stable ayant cours dans un seul secteur d'emploi et, le plus souvent, chez un seul employeur. Ce cheminement s'inscrivait d'ailleurs dans le cadre d'un contrat psychologique désormais désuet où la sécurité d'emploi était offerte en échange de la loyauté et de la fidélité des employés. Le cheminement de carrière classique, qualifié de linéaire, se caractérise par une mobilité verticale donnant accès à des postes de niveaux hiérarchiques plus élevés auxquels correspondent des responsabilités et un salaire accrus. Dans cette optique, la carrière est essentiellement gérée par l'employeur qui détermine le parcours à suivre et promeut les employés en fonction de critères tels que le rendement et la loyauté. Suivant cette logique, la réussite professionnelle correspond au nombre et au rythme de promotions, à l'importance du statut et au niveau de vie que procure un revenu élevé.

À l'opposé, la vie professionnelle dans le paradigme de la carrière éclatée emprunte un parcours plus mouvementé, marqué par des changements d'emploi fréquents et des transitions de carrière de nature très variée (Cardinal, 1999a). La mobilité interorganisationnelle se révèle comme la caractéristique dominante de ce nouveau genre de carrière qui se déroule de moins en moins chez un seul employeur, mais plutôt dans plusieurs organisations, et ce, successivement. Certains auteurs ont prédit jusqu'à sept changements d'employeurs chez les personnes qui adopteront ce type de parcours «sans frontières» (Mirvis et Hall, 1994; Arthur et Rousseau, 1996). En même temps que la mobilité interfirmes augmente, on assiste à un accroissement de la mobilité intraorganisationnelle. Celle-ci se manifeste par une diminution du séjour habituel dans un poste, de même que par l'augmentation des transferts vers des postes de même niveau dans divers secteurs de l'entreprise. Les mouvements latéraux ont désormais préséance sur la mobilité hiérarchique, conséquence directe de l'aplatissement des structures organisationnelles. L'avancement hiérarchique par promotion se fait donc plus rare, alors que les occasions de mutations vers des postes plus flous prolifèrent. De fait, les descriptions de poste sont définies moins clairement qu'auparavant afin de mieux répondre aux impératifs de flexibilité de l'entreprise (Ashkenas *et al.*, 1995). Et même si ces changements latéraux s'opèrent vers des postes de même niveau hiérarchique, ceux-ci peuvent comporter des responsabilités accrues, nécessitant l'acquisition de nouvelles compétences.

Outre ces changements et l'augmentation de la fréquence de ceux-ci, l'éclatement de la carrière pourrait aussi correspondre à des changements d'orientation relativement au domaine principal dans lequel les individus auront choisi de faire carrière. Plutôt que d'évoluer dans un même secteur d'activités tout au long de leur vie professionnelle, certaines personnes seront appelées à se réorienter (par choix ou par nécessité) vers des domaines différents, voire éloignés de leur formation initiale. Ces personnes s'engageront alors dans une carrière dite cyclique faite de transitions vers des domaines qui supposent un retour aux études, une forme de recyclage ou encore une interruption des activités professionnelles (Mirvis et Hall, 1996).

Par conséquent, l'éclatement de la carrière traditionnelle signifie que la trajectoire linéaire classique sera progressivement supplantée par une série de cheminements plus éclectiques ou considérés autrefois comme atypiques. Pour cette raison, le changement de paradigme correspond au passage d'un modèle monolithique à un modèle pluraliste, dans lequel une diversité de trajectoires vont cohabiter (Brousseau *et al.*, 1996).

Mais par-dessus tout, ces transformations majeures dans les carrières ont pour effet de modifier en profondeur les opportunités de succès et nous invitent, par le fait même, à revisiter la conception du succès professionnel. La définition du succès inhérente à la carrière linéaire selon laquelle la réussite professionnelle se mesure à l'avancement hiérarchique ne convient pas aux nouveaux modèles qui relèvent de critères différents et qui appellent une vision renouvelée de la réussite. À cet égard, plusieurs auteurs militent en faveur de cette reconceptualisation du succès en carrière arrimée aux nouvelles théories sur la carrière (Hall et Chandler, 2005; Arthur *et al.*, 2005; Heslin, 2005; Dany, 2004). En résumé, le tableau 4 met en opposition les principales caractéristiques de la carrière linéaire traditionnelle à celles de la carrière éclatée.

## TABLEAU 4
## Comparaison des caractéristiques relatives à deux modèles de carrière[7]

| Carrière traditionnelle | Carrière éclatée |
|---|---|
| • Déroulement de la vie professionnelle chez un seul et même employeur | • Changements fréquents d'employeurs |
| • Stabilité relative à un poste | • Augmentation de la mobilité « intrafirmes » |
| • Progression de carrière par la mobilité verticale | • Évolution de la carrière par la mobilité latérale |
| • Carrière à l'intérieur d'un seul domaine ou champ d'activités | • Carrière dans plus d'un domaine |
| • Prédominance du cheminement de carrière linéaire | • Diversité de cheminements possibles |
| • Gestion organisationnelle de la carrière | • Gestion individuelle de la carrrière |
| • Succès défini par des critères externes et objectifs | • Succès défini par des critères internes et subjectifs. |

## Succès objectif et succès subjectif

Traditionnellement, la carrière était définie comme l'évolution séquentielle des postes occupés par une personne au cours de sa vie professionnelle (Arthur *et al.*, 1989). Implicitement, une telle définition suggère la notion de

7. Source: CARDINAL, L. (1999a). L'éclatement de la carrière ou la carrière éclatée: un nouveau courant en Carriérologie, *Revue Carriérologie*, 7, 103-104.

stades et de progression de l'individu à travers ces stades. L'idéologie individuelle et collective de ce qu'est la réussite professionnelle a d'ailleurs été longtemps subordonnée à cette définition étapiste suivant laquelle le succès en carrière est synonyme de mobilité verticale, c'est-à-dire d'ascension au sein d'une hiérarchie (Cardinal, 1997).

Sans être totalement désuète, cette conception linéaire et limitative du succès ne tient plus la route eu égard aux transformations du marché de l'emploi et des structures organisationnelles. Plusieurs experts (Arthur *et al.*, 2005; Heslin, 2005) s'entendent pour dire que la notion de succès en carrière se doit d'être arrimée aux nouveaux modèles de carrière qui offrent de moins en moins de possibilités d'avancement hiérarchique. Afin de rendre compte de la complexité de la notion de succès en carrière et de l'adapter à l'évolution qu'a connue le concept de carrière, il faut nécessairement en revenir à la double composante objective et subjective de la carrière.

Selon cette approche décrite par Van Maanen et Schein (1979), la carrière dite externe correspond aux aspects objectifs et extrinsèques de la vie professionnelle tels que les caractéristiques du marché de l'emploi, les structures d'opportunités dans les entreprises et les cheminements de carrière. La carrière dite interne renvoie aux représentations cognitives et affectives qu'une personne entretient au sujet se sa vie professionnelle et du rôle qu'elle y joue (Van Maanen et Schein, 1979). En d'autres termes, la carrière interne peut être définie comme l'interprétation subjective que chaque individu fait de son expérience de travail. Alors que la carrière externe renvoie à des critères objectifs et extrinsèques de réussite comme le rang hiérarchique et le statut, la carrière interne, par analogie, renvoie à une conception subjective de la réussite. Celle-ci correspond à l'évaluation ou au regard qu'une personne porte sur sa vie professionnelle en fonction de critères qui sont importants pour elle.

Dans les travaux empiriques qui portent sur le succès en carrière, la dimension objective est généralement mesurée par des critères extrinsèques comme le salaire, le statut hiérarchique et le rythme de promotion qu'a connus l'employé. En revanche, le degré de satisfaction en rapport avec le déroulement de la carrière représente le critère le plus largement utilisé pour capturer la dimension subjective du succès. Une étude récente (Ng *et al.*, 2005) a permis d'approfondir la connaissance quant à la double composante objective et subjective du succès par l'identification de leurs déterminants respectifs. Dans cette méta-analyse d'envergure regroupant plus de 140 études, les chercheurs ont étudié et comparé les liens entre quatre groupes de prédicteurs et les deux dimensions du succès.

Globalement, les résultats ont démontré que les facteurs liés au capital humain (degré de scolarité, nombre d'années d'expérience, réseau de contacts) et les variables sociodémographiques (âge, sexe, statut civil) étaient les meilleurs prédicteurs du succès objectif tel que mesuré par le salaire et le nombre de promotions. D'autre part, les facteurs liés au soutien organisationnel (mentorat, opportunités d'apprentissage, soutien du supérieur immédiat) et les caractéristiques de la personnalité (lieu de contrôle interne, stabilité émotive, etc.) se sont révélés comme étant les dimensions qui expliquent le mieux l'incidence du succès subjectif mesuré par la satisfaction en carrière.

Cette recherche a clairement démontré que le succès en carrière renvoie à deux concepts empiriquement distincts, eux-mêmes associés à des dimensions particulières de la personne et de son environnement de travail. Ainsi, le succès objectif serait davantage associé à des variables extrinsèques et exogènes comme l'expérience de travail tandis que le succès subjectif dépendrait des facteurs endogènes liés à la personnalité.

### *Interdépendance du succès objectif et subjectif*

Tout en référant à des concepts distincts, le succès objectif et le succès subjectif ne seraient pas deux phénomènes indépendants et mutuellement exclusifs. Au contraire, plusieurs écrits récents donnent à penser que les deux facettes de la réussite sont interdépendantes dans le sens où elles peuvent s'influencer l'une l'autre (Arthur *et al.*, 2005 ; Heslin, 2005 ; Hall et Chandler, 2005). En effet, les critères extérieurs et objectifs de réussite rattachés à des professions comme la gestion peuvent, chez certaines personnes, participer et même renforcer le degré de satisfaction qu'elles retirent face à leur carrière. Le fait d'occuper un poste prestigieux et de jouir d'une certaine aisance financière peuvent contribuer au sentiment d'accomplissement dans la mesure où ces symboles de réussite sociale ont été introjetés par la personne et qu'ils correspondent à ses valeurs et à son image d'elle-même (Cardinal, 1997).

À l'inverse, plusieurs auteurs ont constaté que chez certains individus, l'atteinte de normes de réussite socialement reconnues pouvait représenter une contrainte majeure à l'expérience subjectivement vécue de leur réussite (Berglass, 1986 ; Korman, 1992 ; Cardinal, 1993). Ce paradoxe, qui traduit un clivage entre le fait d'avoir du succès et celui d'en éprouver un sentiment de réussite (« *being successful and feeling successful* »), a donné lieu à des écrits dans lesquels il est démontré comment le succès professionnel (évalué par des indices objectifs) peut nuire à l'équilibre psychologique en développant chez l'individu un profond sentiment d'aliénation. Au lieu d'éprouver du succès à cause de leurs réalisations, ces personnes vivent plutôt un profond sentiment d'échec attribuable au regret d'avoir tant investi dans leur travail, et ce, au détriment de leur vie personnelle et familiale (Korman, 1992 ; Cardinal, 1993).

En somme, ces quelques exemples illustrent à quel point le succès en carrière est un phénomène complexe, paradoxal et éminemment subjectif. La relation ambiguë entre l'atteinte de critères objectifs de réussite et l'impression subjective de succès ou d'échec qui peut en résulter fait ressortir avec acuité le rôle de la carrière interne, c'est-à-dire de l'interprétation personnelle que chacun accorde à son expérience professionnelle.

Sans nier la pertinence des standards externes, plusieurs auteurs (Arthur et Rousseau, 1996; Mirvis et Hall, 1996; Hall et Chandler, 2005) soutiennent que les critères subjectifs sont désormais plus appropriés pour envisager la réussite professionnelle dans le contexte des transformations du marché de l'emploi et des structures organisationnelles.

En effet, les turbulences de l'environnement font en sorte que les individus ont de moins en moins accès aux opportunités de carrière traditionnellement offertes dans les entreprises. Comme nous le disions plus tôt, l'érosion de la carrière linéaire et l'apparition des nouveaux modèles diminuent les occasions d'avancement hiérarchique tandis que la mobilité intra et interorganisationnelle tend à augmenter. Dans ce contexte, ce sont des facteurs internes et subjectifs comme l'apprentissage de nouveaux rôles et la satisfaction de développer de nouvelles compétences qui prennent le pas sur les aspects extrinsèques devenus moins accessibles (Arthur et Rousseau, 1996; Mirvis et Hall, 1996; Hall et Chandler, 2005). Comme le soulève justement Dany (2004), les nouvelles approches de carrière imposent un recentrage sur la notion de carrière subjective. Les transformations dans les structures organisationnelles et les modèles de carrière qu'elles génèrent ouvrent la voie à une conception renouvelée du succès au travail qui tient compte de la face interne de la vie professionnelle et des dimensions subjectives qui s'y rattachent.

## Succès psychologique

La notion de succès psychologique telle que proposée par Hall dans ses nombreux écrits sur la question (Hall, 1976; Mirvis et Hall, 1994; Hall, 1996; Hall et Mirvis, 1996; Hall et Chandler, 2005) traduit de manière éloquente cette conceptualisation subjective du succès en carrière. Par définition, le succès psychologique est un phénomène essentiellement subjectif qui renvoie au sentiment de fierté et d'accomplissement personnel résultant de la poursuite d'objectifs (tant personnels que professionnels) et des efforts que la personne investit en vue d'atteindre ses objectifs (Hall, 1996). Aussi le succès psychologique n'est-il pas tant un résultat concret mais bien un sentiment de valorisation que la personne éprouve par suite de ses réalisations. Il s'agit donc d'une expérience positive qui fait partie de l'univers affectif et qui contribue d'une manière significative au bien-être psychologique à travers le rehaussement de l'estime de soi et le renforcement du sentiment d'identité personnelle. De fait, l'estime de soi est au cœur du succès psychologique.

L'expérience professionnelle peut contribuer à entretenir ou même à bonifier la valeur et l'affection que la personne se porte dans la mesure où elle lui permet de mettre à profit ses compétences et de sentir que son potentiel est pleinement utilisé dans son travail. Le fait d'occuper un emploi stimulant, source de défis et d'apprentissage, de sentir que sa collaboration est importante et appréciée sont toutes des conditions favorables à l'estime de soi. À l'inverse, lorsque la personne trouve que ses compétences sont sous ou mal utilisées, que son travail est peu important ou inintéressant, qu'il s'effectue dans un climat de menace et d'insécurité, elle est en présence de facteurs qui minent l'estime de soi et, partant, le succès psychologique. Pour que le travail représente une source de valorisation personnelle, la personne doit être satisfaite de son rendement tout en ayant la conviction de participer significativement à l'atteinte des objectifs de l'organisation. En ce sens, le succès psychologique et le succès organisationnel sont non seulement reliés, mais ils s'influencent et se renforcent mutuellement.

En plus de contribuer à la qualité de vie au travail, le succès psychologique représente une source importante de motivation intrinsèque dont les organisations peuvent bénéficier. L'impact et l'intérêt de ce phénomène sur le plan de la motivation au travail tiennent au fait que l'expérience subjectivement vécue de la réussite agit d'une manière cyclique de sorte que le succès engendre le succès (Hall et Mirvis, 1996; Hall et Chandler, 2005). Dans cette optique, le rehaussement de l'identité et de l'estime de soi sont à la fois les conséquences et les sources du succès psychologique. Tout se passe comme si les sentiments de bien-être et de fierté associés au succès subjectif ont un effet renforçateur qui va conduire la personne à recréer les conditions susceptibles de lui faire connaître un succès encore plus important. En d'autres termes, le bien-être ressenti pousserait l'individu à s'investir davantage en vue d'éprouver un niveau de satisfaction toujours plus élevé face à lui-même et à son travail.

## Obstacles au succès psychologique

Si le succès psychologique apparaît dorénavant comme une façon plus réaliste d'appréhender et de définir la réussite professionnelle, encore faut-il voir comment les transformations dans l'univers du travail peuvent contribuer à le favoriser ou, inversement, à l'inhiber. Le passage vers le nouveau paradigme comporte à la fois des opportunités et des contraintes pouvant affecter le bien-être psychologique positivement ou négativement. En ce qui a trait aux embuches, les mutations du travail peuvent effectivement confronter l'individu à des situations potentiellement menaçantes pour l'estime de soi et le sentiment d'identité.

Le fait d'être contraint à changer souvent de poste, de milieu de travail ou de secteur d'emploi, conjugué à l'obligation d'exercer différents rôles à l'extérieur du travail, peut entraîner un sentiment de déchirement ou de morcellement de soi causé par la multiplicité et l'alternance de ces divers rôles. Les exigences de flexibilité qui sont désormais imposées aux personnes risquent d'avoir un impact néfaste sur le sentiment d'identité en rendant ses frontières plus floues et plus diffuses (Mirvis et Hall, 1996). De plus, les efforts d'adaptation requis par des transitions de carrière répétées qui n'ont pas été nécessairement voulues sont de nature à générer un stress important chez l'individu. En outre, la perte involontaire d'un emploi s'avère une des expériences les plus bouleversantes, non seulement de la vie professionnelle, mais de la vie en général.

Les nombreuses opérations de redressement et de restructurations qui ont cours depuis les dernières décennies ont pour effet de conduire un nombre important d'individus, le plus souvent compétents, à subir la perte de leur emploi avec les conséquences néfastes que l'on sait. D'entrée de jeu, cette expérience difficile représente un obstacle majeur au succès psychologique, principalement en raison des répercussions négatives qu'elle peut susciter telles la perte d'estime de soi, la détresse psychologique, le sentiment d'échec, de trahison, etc. De l'avis de certains auteurs (Latack et Dozier, 1986), perdre son emploi d'une manière imprévisible et involontaire peut même causer un tort irréversible à la carrière en induisant chez la victime un sentiment permanent d'insécurité et de cynisme.

À travers le temps, les chercheurs ont proposé divers modèles et théories pour expliquer les réactions et les stratégies que les personnes déploient pour faire face à cette expérience traumatisante. Parmi ceux-ci, nous retenons le modèle exhaustif de Gowan et Gatewood (1997), qui englobe une série de facteurs susceptibles d'intervenir dans le processus d'ajustement, à partir du moment où la personne apprend la mauvaise nouvelle jusqu'à ce qu'elle ait retrouvé un emploi.

### *Modèle d'ajustement à la perte d'emploi de Gowan et Gatewood (1997)*

#### L'évaluation cognitive

Cette première composante du modèle renvoie au processus intellectuel par lequel l'individu interprète la situation qui l'afflige. C'est au cours de cette analyse qu'il détermine s'il a été lésé par l'événement et, dans l'affirmative, dans quelle mesure il l'a été. À cette étape, quatre paramètres différents vont le guider dans son évaluation.

L'intensité concerne l'ampleur du stress et de la perturbation que l'individu attribue au fait d'avoir perdu son emploi. Plus l'intensité est élevée, plus il considère que cet événement est la pire chose qui pouvait lui arriver. Gowan et Gatewood (1997) rapportent que dans les recherches qui traitent de ce phénomène, les sujets utilisent parfois la métaphore de la mort pour décrire leur expérience.

La réversibilité traduit la perception que la situation pourrait changer. Par exemple, l'individu évalue s'il sera en mesure de réintégrer le marché du travail ou d'entreprendre une activité qui lui apporterait des compensations équivalentes à son ancien emploi. Les personnes qui obtiennent une cote faible à ce paramètre ont l'impression qu'elles ne réussiront pas à trouver un emploi comparable en termes de salaire et autres bénéfices à celui qu'elles ont perdu (Leana et Feldman, 1990, cités dans Gowan et Gatewood, 1997).

Lorsqu'ils évaluent la causalité, les individus tentent d'identifier le responsable de la perte de leur emploi. En cette matière, deux options s'offrent à eux: ils ont la possibilité d'attribuer à eux-mêmes leur mauvais sort ou encore à des facteurs extérieurs, hors de leur contrôle. À cet égard, les recherches démontrent que les individus ont plutôt tendance à expliquer leur perte d'emploi par des facteurs externes, tels que la mauvaise gestion de l'entreprise, la malhonnêteté de l'employeur ou encore son manque de considération envers les employés.

Enfin, le dernier paramètre est celui de l'équité perçue, c'est-à-dire de la justice procédurale relative à la façon dont les mises à pied ont été effectuées. Plus les ex-employés ont reçu des explications claires, dans un délai acceptable et qu'en plus un service de counseling leur a été offert, plus la perception d'équité tend à être élevée. De plus, les individus qui ont l'impression d'avoir été traités équitablement lors de la mise à pied seraient moins susceptibles d'exprimer de la colère et de l'agressivité (Bies *et al.*, 1993, cités dans Gowan et Gatewood, 1997).

**Les ressources**

Comme le soulignent Gowan et Gatewood (1997), l'évaluation cognitive que la personne fait d'un événement stressant dépend notamment des ressources dont elle dispose pour y faire face. Si ses ressources lui semblent importantes ou à tout le moins proportionnelles à la pression causée par la perte de son emploi, cet événement lui paraîtra moins stressant. À l'inverse, lorsque les ressources à sa portée lui semblent insuffisantes pour affronter la pression subie, la personne interprètera la perte de son emploi comme un événement très perturbateur.

Deux types de ressources peuvent éventuellement lui venir en aide. Les ressources personnelles qui lui sont intrinsèques: santé, estime de soi, habiletés sociales, etc., et les ressources externes, c'est-à-dire le soutien social et le soutien financier.

De toute évidence, le fait d'être bien entouré et de disposer d'une réserve financière permettant de maintenir son rythme de vie pendant un certain temps devrait aider l'individu à voir sa situation moins négativement qu'il ne le ferait en l'absence de telles ressources. Ces dernières devraient en outre lui permettre d'évaluer sa situation comme étant réversible et de vivre les émotions négatives avec moins d'intensité.

## Les stratégies d'adaptation

Les modèles sur la perte d'emploi et les recherches qui en découlent accordent une grande importance aux stratégies d'adaptation, et pour cause. L'étude des moyens que les personnes utilisent pour faire face à leur situation difficile peut éventuellement déboucher sur des pistes d'intervention aptes à les aider.

Par définition, les stratégies d'adaptation correspondent aux efforts cognitifs (les pensées) et behavioraux (les actions) déployés par la personne en vue d'affronter les événements qu'elle évalue comme stressants (Lazarus et Folkman, 1984, cités dans Gowan et Gatewood, 1997). Selon cette perspective, l'ajustement vise essentiellement à atténuer les émotions négatives et à changer la situation à l'origine du stress. En d'autres termes, dans le cas précis de la perte d'emploi, ces stratégies ont pour but de permettre à l'individu de retrouver une certaine forme de bien-être psychologique et de remédier à sa situation en obtenant un nouvel emploi.

De façon générale, la documentation distingue trois types de stratégies d'adaptation en réponse aux événements stressants tels que la perte d'un emploi : les stratégies centrées sur les problèmes, les stratégies centrées sur les émotions et les stratégies centrées sur les symptômes.

L'adaptation axée sur les problèmes vise à gérer ou mieux à éliminer la source de stress. Ainsi, cette forme d'adaptation fait appel à des comportements de résolution de problèmes tels que l'analyse de la situation, l'ébauche de solutions alternatives, le choix d'une solution, etc. Concrètement, ce procédé peut donner lieu à des activités relatives à la recherche d'emploi (rédaction du curriculum vitæ, réseautage, contacts avec des agences).

Les stratégies centrées sur les émotions visent à réguler les réactions émotionnelles générées par la perte d'emploi. Fait intéressant, celles-ci peuvent être initiées soit dans le but de réduire la détresse émotionnelle ou encore de l'augmenter (Lazarus et Folkman, 1984, cités dans Gowan et Gatewood, 1997). En effet, tout se passe comme si certains individus devaient d'abord atteindre le fond du baril avant de pouvoir rebondir et faire face à la musique. Pour ce faire, ils peuvent s'adonner à des pensées autopunitives, en se blâmant pour leur sort par exemple. Lorsque, à l'inverse, ils cherchent à atténuer les émotions négatives qui les habitent, ils vont plutôt rationaliser ce qui leur arrive en se comparant à pire ou encore en niant le drame.

Quoiqu'il en soit, ces deux formes de stratégies peuvent être employées simultanément et s'influencer réciproquement. Effectivement, l'individu qui utilise le déni et qui refuse de reconnaître la gravité de sa situation risque d'être moins proactif dans sa recherche d'emploi que celui qui admet son problème.

Enfin, en déployant des stratégies centrées sur les symptômes, l'individu cherche à diminuer les conséquences néfastes associées à la perte de son emploi en participant à des activités sociales, communautaires, ou en s'adonnant au bénévolat (Leana et Feldman, 1992, cités dans Gowan et Gatewood, 1997). Ces stratégies se distinguent des précédentes puisque, d'une part, elles ne conduisent pas à l'obtention d'un emploi et que, d'autre part, elles n'ont pas pour objet la réévaluation de l'événement dramatique. Elles permettent plutôt à l'individu de se distraire, d'occuper son temps et de faire des rencontres sociales pour pallier l'absence de collègues de travail.

La description de ces stratégies soulève inévitablement la question de leur efficacité. Selon Gowan et Gatewood (1997), ces divers procédés sont efficaces dans la mesure où ils conduiraient l'individu à retrouver un certain bien-être psychologique et à modifier la situation à l'origine du stress. Pour mieux en comprendre l'utilité dans le contexte de la perte d'emploi, il convient donc d'analyser ces stratégies en regard des effets qu'elles produisent.

**Les effets**

Le modèle de Gowan et Gatewood (1997) offre l'avantage de prendre en compte la perspective temporelle rattachée à la perte d'emploi. Ainsi, les principaux effets des stratégies sont dégagés selon qu'ils se manifestent à court ou à long terme. Les effets à court terme sont partagés en deux catégories. La catégorie de «l'affect» traite des émotions et particulièrement de la détresse psychologique vécue par les personnes ayant perdu leur emploi. Malgré la rareté des recherches, certains travaux rapportés par Gowan et Gatewood (1997) montrent que les personnes qui pratiquent la distanciation (stratégie centrée sur les émotions) voient leur niveau de détresse augmenter alors que celles qui s'engagent dans des activités à caractère social (stratégies centrées sur les symptômes) parviennent à réduire leur détresse.

En second lieu, la réinsertion professionnelle fait partie des effets à court terme qui ont été analysés. Comme il était logique de s'y attendre, il a été démontré que les stratégies centrées sur les problèmes favorisaient l'obtention d'un nouvel emploi. Une étude en particulier a révélé que les participants à un programme d'aide à la recherche d'emploi avaient tendance à décrocher un meilleur poste que le précédent et surtout qu'ils changeaient moins souvent d'emploi par la suite, comparativement aux individus qui n'avaient pas bénéficié d'une telle formation (Vinokur *et al.*, cités dans Gowan et Gatewood, 1997).

Pour leur part, Leana et Feldman (1995, cités dans Gowan et Gatewood, 1997) ont observé une relation positive entre le niveau de détresse psychologique et la réinsertion professionnelle. Ce résultat indiquerait que les individus plus anxieux auraient tendance à accepter plus rapidement le premier emploi qui leur est offert afin d'apaiser leur anxiété.

Pour étudier les effets à long terme, les chercheurs ont comparé des individus ayant réintégré le marché du travail à d'autres qui demeuraient sans emploi. De façon générale, ces recherches démontrent que les individus qui ont retrouvé du travail se portent mieux physiquement et psychologiquement que ceux qui sont encore en attente (Wanberg, 1995, cité dans Gowan et Gatewood, 1997).

Néanmoins, tout porte à croire que la perte d'emploi peut affecter le bien-être psychologique à plus long terme, au point d'entraîner des séquelles permanentes. En effet, même après avoir retrouvé un job, certains individus se sentent stigmatisés, ont l'impression que leur poste est moins intéressant que le précédent et font des démarches pour changer d'emploi (Parnes *et al.*, 1981, cités dans Gowan et Gatewood, 1997). Pour beaucoup, la perte d'un emploi porte une atteinte profonde à l'estime de soi qui risque de laisser une cicatrice indélébile.

### *Perte d'emploi et succès psychologique*

De prime abord, les notions de perte d'emploi et de succès psychologique peuvent sembler antinomiques. Dans l'opinion populaire comme dans la littérature, la perte d'emploi est davantage associée à des répercussions négatives, en particulier à la détresse psychologique mentionnée plus haut.

Pourtant, force est de reconnaître que certains individus sortent grandis d'une expérience semblable. Pour eux, la perte de leur emploi est l'élément déclencheur d'un changement important tel une réorientation de carrière et parfois même l'occasion d'un nouveau départ. De l'avis de certains auteurs (Hall, 1976; Latack et Dozier, 1986), l'expérience pénible de la perte d'emploi peut contribuer à favoriser le succès psychologique dans la mesure où elle peut permettre de faire progresser la carrière dans la bonne direction. Dans cette optique, la perte d'emploi ne représente pas un recul ou un échec irréversible mais plutôt la possibilité d'évoluer au plan professionnel et de vivre une forme de croissance personnelle.

Pour transformer cet événement tragique en opportunité de croissance au plan psychologique, encore faut-il bénéficier de conditions gagnantes. À cet égard, Latack et Dozier (1986) ont identifié quelques facteurs propres à l'individu et à son environnement qui peuvent aider à tirer profit de la perte d'un emploi et contribuer à faire évoluer la carrière.

**Caractéristiques individuelles**

Les attitudes que la personne entretenait face à son emploi avant de le perdre auraient une incidence sur sa capacité à profiter de son expérience. En outre, les personnes peu engagées dans leur travail et peu satisfaites de leur emploi auraient plus de facilité que d'autres à voir le côté positif de leur mise à pied (Hartley, 1980, cité dans Latack et Dozier, 1986). La perte de leur emploi les obligerait à opérer un changement qu'elles hésitaient à faire auparavant.

Dans la même veine, on peut supposer que certains traits de personnalité vont interférer dans le processus et aider certains individus à se sortir de l'impasse. Par exemple, les individus qui jouissent d'une estime de soi positive au moment de l'événement sont certes mieux outillés pour faire face à la situation que ceux qui sont habités par le doute et l'insécurité. Également, il est logique de penser que les personnes dotées d'un lieu de contrôle interne seront plus enclines à adopter des stratégies proactives pour affronter la situation. Enfin, il appert que le sentiment d'efficacité personnelle qui reflète la confiance en ses moyens représente un facteur de succès dans une démarche de transition de carrière résultant de la perte d'un emploi (Grégoire *et al.*, 2000).

L'âge et le stade de carrière semblent avoir un effet sur les opportunités de progression de carrière en cas de départ involontaire. Les résultats de recherche sont toutefois mitigés et méritent d'être interprétés avec circonspection. Cela dit, le début et la fin de la carrière représenteraient des stades plus critiques, et ce, pour des raisons fort différentes.

La perte d'emploi en début de carrière risque d'être vécue plus difficilement, voire comme un échec, puisqu'il s'agit d'une étape où les jeunes cherchent à faire leurs preuves et à démontrer leur savoir-faire. De plus, ils peuvent subir un ralentissement de parcours, n'ayant pas eu le temps de développer l'éventail de compétences requis pour être compétitifs dans un marché de l'emploi volatile. Par ailleurs, il a été démontré que les individus qui ont dépassé le stade de la mi-carrière restent plus longtemps sans emploi et sont souvent victimes de discrimination en raison de leur âge. Chez eux, le spectre réaliste d'éprouver de la difficulté à retrouver du travail peut parfois influencer leur attitude face à la recherche d'emploi et, par ricochet, l'évolution de leur carrière (Schlossberg et Liebowitz, 1980, cités dans Gowan et Gatewood, 1997).

Quoiqu'il en soit, il semblerait que le début de la mi-carrière (35-40 ans) soit plus propice pour transformer la perte d'un emploi en événement positif au plan professionnel (Hall, 1976). À ce stade, les individus ont des acquis sur lesquels ils peuvent miser tout en étant encore à l'abri des pratiques discriminatoires fondées sur l'âge (Latack et Dozier, 1986).

Enfin, les travaux sur les réactions psychologiques résultant de la perte d'emploi soulignent l'importance de demeurer actif pendant la période de chômage, en suivant une formation par exemple. Selon Latack et Dozier (1986), le fait de s'engager dans des activités structurées peut permettre à l'individu de préserver un sens de l'identité et un sentiment de compétence nécessaires pour rétablir le cycle du succès. Qui plus est, ces activités favorisent les réseaux de contacts qui peuvent s'avérer profitables en bout de ligne.

**Caractéristiques de l'environnement**

Tel que discuté antérieurement, il n'est pas étonnant de constater que les ressources financières et le soutien social ressortent clairement comme des facteurs susceptibles d'aider l'individu à traverser avec plus d'optimisme une période difficile. En étant moins préoccupé par sa situation financière, il aurait plus de facilité à analyser sa perte et à en tirer des leçons propices à la progression de sa carrière (Latack et Dozier, 1986).

Par ailleurs et dans un tout autre registre, les circonstances entourant le départ d'un employé peuvent considérablement influencer les réactions face à sa nouvelle situation (Latack et Dozier, 1986). De toute évidence, lorsque la décision de mettre fin à la relation d'emploi est prise et surtout communiquée de manière éthique, les répercussions peuvent s'en trouver atténuées. En outre, le fait de connaître les vrais motifs de sa mise à pied ou de son congédiement devrait aider l'individu à mieux comprendre ce qui lui arrive, à mieux encaisser le choc et éventuellement à effectuer des choix d'emplois qui lui conviennent davantage. À cet égard, il incombe à l'employeur d'adopter une approche professionnelle, axée sur le respect et la dignité, de façon à préserver à l'individu un tant soit peu l'estime de lui-même dont il aura besoin pour rebondir et faire tourner à son avantage la situation.

Si, à l'inverse, la mauvaise nouvelle est annoncée brutalement, sans préavis, et qu'en plus, l'ex-employé est invité à quitter les lieux sur le champ, la table est mise pour exacerber les émotions négatives susceptibles de nuire à sa réaffectation.

De plus, il convient de souligner l'importance de franchir avec sérénité les diverses étapes émotionnelles relatives au deuil que représente la perte d'un emploi. Pour certains auteurs (Latack et Dozier, 1986; Joannette et Brunel, 2001), les personnes ayant perdu involontairement leur emploi auraient à traverser un processus de deuil similaire à celui qui suit le décès d'un être cher. Ainsi, c'est après avoir surmonté le choc initial et vécu le déni, la colère et la dépression que les personnes en viendraient à accepter leur situation et à canaliser leurs énergies dans la reprise des activités susceptibles de faire avancer leur carrière.

En résumé, cette discussion donne à penser qu'il est possible, en présence de conditions favorables et après avoir franchi les étapes nécessaires, de trouver ou encore de retrouver la voie du succès psychologique à la suite d'une rupture de carrière.

Nonobstant l'importance des facteurs susmentionnés, le fait de dénicher un emploi stimulant, arrimé à sa personnalité et à ses talents, et ce, dans un délai raisonnable, représente sans contredit un préalable incontournable dans la quête du succès. Comme le soulèvent pertinemment Latack et Dozier (1986), la perte d'un emploi a pour effet d'interrompre brutalement le cycle du succès psychologique.

C'est donc en étant en mesure d'utiliser à nouveau ses compétences, de se fixer des objectifs réalistes, de les atteindre et d'en éprouver de la fierté que le sentiment de réussite pourra graduellement se manifester. Pour sortir gagnant et continuer de progresser professionnellement à la suite d'une expérience aussi bouleversante que la perte d'un emploi, l'individu doit se sentir en harmonie avec son nouveau poste ou sa nouvelle carrière, de façon à pouvoir restaurer son estime de lui-même et son sentiment d'identité inévitablement ébranlés par le choc.

## Opportunités de succès psychologique

Force est d'admettre que la perte d'un emploi représente un obstacle particulièrement exigeant à surmonter dans l'optique du succès psychologique. Mis à part les contraintes parfois inévitables qu'elles peuvent imposer, les nouvelles carrières peuvent, fort heureusement, procurer des opportunités de succès très intéressantes.

En effet, la diversité des rôles que les personnes sont appelées à exercer par suite des transitions peut fournir l'occasion de se bâtir une identité plus solide et surtout plus extensive à travers l'intégration de toutes les expériences, incluant celles qui sont vécues au travail et à l'extérieur du travail.

Selon Mirvis et Hall (1996), l'éclatement de la carrière traditionnelle peut avoir comme conséquence positive de procurer la liberté et la flexibilité de s'engager à fond et au moment voulu dans les différents rôles de la vie et, ce faisant d'y trouver un meilleur équilibre. Par exemple, la panoplie de modèles de carrière disponibles peut permettre à l'individu de choisir plus librement que dans le passé, de reléguer temporairement au second plan les ambitions professionnelles de façon à consacrer plus de temps et d'énergie à la vie familiale (Cardinal, 1999b).

Par ailleurs, l'augmentation de la mobilité à l'intérieur et à l'extérieur de l'organisation peut aussi se traduire en avantages eu égard au succès psychologique. Les nombreux changements de postes et de milieux auxquels les personnes sont et seront confrontées vont multiplier les occasions d'apprentissage et de défis tout en favorisant la création de réseaux de soutien. La mobilité latérale, pourvu qu'elle soit associée à des tâches stimulantes qui permettent l'acquisition de nouvelles compétences, peut contribuer à la satisfaction des besoins intrinsèques comme l'estime de soi et l'accomplissement.

Enfin, la possibilité de se bâtir une carrière sur mesure est sans contredit la meilleure opportunité à émerger du nouveau paradigme. L'éclatement de la carrière traditionnelle favorise ce que Hall et ses collègues (Hall et Mirvis, 1996; Hall et Chandler, 2005) ont judicieusement qualifié de carrière protéiforme pour décrire la vie professionnelle que chaque personne peut créer et gérer dans le respect de sa personnalité, de ses talents et de ses aspirations profondes. Il s'agit donc d'une carrière tout à fait unique et individualisée faite des expériences de travail, des apprentissages et des transitions effectués en vue de s'accomplir davantage comme être humain. Dans cette perspective, la personne s'engage envers elle-même à exercer des choix qui vont lui permettre d'atteindre non pas le succès objectif, mais bien un mieux-être psychologique à travers des expériences professionnelles arrimées à son image d'elle-même et à ses valeurs. Ainsi, la carrière prend une dimension spirituelle alors que le chemin vers le haut de la hiérarchie serait remplacé par la voie du cœur (Mirvis et Hall, 1996), c'est-à-dire celle qui mène à la découverte de soi et de son âme.

## Gestion individuelle de la carrière

Même si la voie du succès subjectif semble la plus appropriée dans le contexte de l'éclatement de la carrière traditionnelle, il n'en demeure pas moins qu'il s'agit d'une avenue particulièrement exigeante en termes de défis et d'obstacles à surmonter. Elle demande en outre que l'individu s'implique à fond dans la gestion de sa propre carrière et qu'il mise d'abord sur lui-même pour la faire progresser. L'importance de prendre sa carrière en mains et d'élaborer des plans d'action pour atteindre ses objectifs tant personnels que professionnels devient évidente maintenant que certaines organisations auraient tendance à se départir de leur responsabilité en matière de gestion de carrières (Thite, 2001 ; Baruch, 2003). Dans ce contexte, la gestion efficace de la carrière repose d'abord sur un ensemble de stratégies qui s'avèrent désormais nécessaires pour permettre à l'individu d'assurer lui-même l'évolution de son parcours professionnel.

### *Stratégies à adopter*

#### Renouveler sa conception de la carrière et du succès

La première stratégie consiste essentiellement à modifier sa conception de la carrière et, partant, celle du succès en carrière. Pour la personne, ceci signifie de changer son cadre mental en regard de la vie professionnelle et de penser sa carrière autrement.

Pour ce faire, il conviendra de rompre avec l'idée d'un emploi stable au sein d'une seule entreprise et avec celle de la carrière linéaire fondée sur l'avancement hiérarchique. Dans cette foulée, les critères traditionnels de réussite devront être remplacés par des critères personnalisés alignés sur la carrière interne, à savoir l'apprentissage de nouveaux rôles, le sentiment d'accomplissement personnel, etc. (Cardinal et Lépine, 1998). Faire carrière dans le nouveau paradigme nécessite également de se départir de certains mythes dysfonctionnels qui sont susceptibles de nuire à la prise en charge de la vie professionnelle, par exemple le fait de se considérer trop âgé pour opérer une réorientation de carrière ou de penser que la performance au travail garantit une sécurité d'emploi. Pour tirer avantage des nouvelles carrières, il faut nécessairement apprendre à conjuguer avec l'insécurité et l'instabilité, tout en bénéficiant d'une plus grande autonomie et d'une meilleure marge de manœuvre dans la gestion de sa carrière. Les générations montantes qui n'ont pas connu d'autres modèles auront certes plus de facilité à adhérer à cette vision comparativement aux *baby-boomers*, en particulier ceux qui ont œuvré dans les grandes entreprises pyramidales.

### Développer son employabilité

En raison des mutations dans le monde du travail et de la précarité d'emploi qui en a découlé, l'employabilité est apparue au cours des dernières années comme une arme incontournable pour se prémunir contre les aléas du marché de l'emploi. Dans cette optique, l'employabilité peut se définir comme une stratégie d'adaptation proactive envers le marché du travail qui repose sur un ensemble d'attitudes, de comportements et surtout de compétences qui favorisent la mobilité à l'intérieur et à l'extérieur de l'organisation (Fugate et al., 2004). De fait, la question des compétences est la pierre angulaire de l'employabilité alors que les moyens préconisés pour la développer s'articulent autour de l'acquisition, du renouvellement et de la mise à jour du portefeuille individuel de compétences. L'employabilité peut ainsi permettre d'augmenter la probabilité de conserver son emploi ou d'en décrocher un autre au besoin, en développant des compétences, en particulier transversales, qui sont recherchées par les employeurs.

En quelque sorte, on peut concevoir l'employabilité comme une stratégie de marketing par laquelle l'individu peut promouvoir plus facilement sa candidature à un employeur. Du même coup, elle s'avère un moyen rentable pour réaliser ses opportunités et ses aspirations de carrière en améliorant sa position de négociation avec l'environnement (Chan, 2000, cité dans Fugate *et al.*, 2004).

En plus de contribuer au développement de la carrière par l'acquisition des compétences, l'employabilité favorise également le succès psychologique en permettant à l'individu de réduire son niveau d'incertitude et d'anxiété par rapport aux transformations du marché de l'emploi (Fugate *et al.*, 2004). Elle procure, en outre, un certain sentiment de sécurité et de contrôle qui conforte l'individu dans son poste et le rend plus confiant par rapport aux transitions qu'il pourra éventuellement opérer.

Au-delà de ses avantages, l'employabilité comporte de nombreux défis loin d'être à la portée de tous. Même en étant motivé et conscient de l'importance de développer son savoir-faire, encore faut-il avoir le potentiel intellectuel et la capacité d'apprentissage requis pour y parvenir. De plus, il faut savoir que les nombreux efforts investis pour développer son employabilité ne garantissent pas de l'emploi, encore moins le succès en carrière. Ils sont cependant nécessaires pour améliorer la perspective de mobilité dans un contexte où la durée de vie des compétences impose un renouvellement constant de celles-ci (Bouteiller, 1997, cité dans St-Onge *et al.*, 2004).

## Être proactif

Gestion individuelle de la carrière et attitude proactive vont de pair. En étant proactif, l'individu mise d'abord sur lui-même et prend des initiatives pour faire bouger les choses en regard de sa carrière. Être à l'affût des opportunités et se tenir prêt à faire le saut quand une proposition intéressante se présente sont des manifestations évidentes d'une attitude proactive. Celle-ci exige notamment de bien connaître le marché de l'emploi dans son domaine, d'entretenir son réseau de contacts et d'actualiser régulièrement son curriculum vitæ, de façon à être préparé à un changement éventuel susceptible de servir la carrière.

Cependant, l'individu a tout avantage à être d'abord proactif dans son propre milieu de travail en proposant à son employeur des solutions innovatrices à des problèmes qu'il aura décelés. Les actions qui lui permettront de se démarquer tout en démontrant qu'il a à cœur les intérêts de l'entreprise risquent de lui être rentables en bout de ligne.

### Effectuer des transitions de carrière gagnantes

Dans la nouvelle conjoncture, les carrières sont et seront ponctuées d'une série de choix volontaires et d'événements involontaires qui représentent tous des transitions de carrière importantes que l'individu doit apprendre à gérer.

En particulier, il faut savoir changer de poste au bon moment et, surtout, changer pour mieux. Idéalement, toute transition de carrière volontaire, qu'il s'agisse d'une promotion, d'une mutation ou d'une rétrogradation, devrait représenter une amélioration par rapport à la situation précédente en termes de défis, de compétences à acquérir et, surtout, en termes d'opportunités de succès psychologique. Étonnamment, une rétrogradation dans un nouveau secteur de l'entreprise, qui permettrait de développer de nouvelles compétences et éventuellement de réorienter sa carrière, pourrait se révéler une expérience très profitable.

Lorsque la transition s'effectue vers une autre entreprise, le défi posé à l'individu consiste à vérifier sa compatibilité non seulement avec le poste convoité mais aussi avec l'organisation. Le choix d'un employeur représente une décision de carrière particulièrement difficile et lourde de conséquences, d'où la nécessité d'être bien renseigné au sujet de l'entreprise et de sa culture avant d'accepter une offre d'emploi.

Enfin, il faut tenter de tirer profit d'une transition de carrière involontaire telle que la perte d'un emploi, en misant sur les apprentissages qu'elle aura permis de réaliser. Aussi faut-il rappeler que tous les changements de poste, qu'ils soient prescrits ou souhaités, imposent nécessairement des défis psychologiques dont celui de l'adaptation à un nouveau rôle et à un nouveau milieu de travail.

## Pratiquer l'autosocialisation

Très tôt dans la carrière et même pendant les études, l'individu a intérêt à se sensibiliser à la culture de sa profession en vue de développer un sentiment d'appartenance envers elle.

Ceci peut se faire en devenant membre d'une association professionnelle ou d'un organisme afin de côtoyer des personnes qui exercent le même métier. Également, le fait de s'adjoindre un mentor ou un coach pourra aider la personne à s'initier aux rites et aux aspects informels de la carrière à laquelle elle se destine. En plus de favoriser le réseautage si utile en carrière, les activités d'autosocialisation peuvent contribuer à développer un sentiment d'harmonie avec la profession choisie. De surcroît, l'autosocialisation est une stratégie efficace pour aider l'individu à mieux s'ajuster aux différents rôles qu'il aura à assumer. Repérer dans l'entourage les meilleures sources d'information, solliciter du feed-back sur son rendement et se familiariser avec les politiques de l'organisation sont autant de comportements de socialisation susceptibles de faciliter les transitions (Lacaze et Fabre, 2005).

## Maintenir un équilibre entre la vie personnelle et la vie professionnelle

De toute évidence, l'équilibre travail-famille représente un défi de taille eu égard aux transformations du marché de l'emploi et des carrières. Celui-ci exige notamment que l'individu soit capable d'établir et de respecter des priorités par rapport aux différentes sphères de la vie. Dans ce contexte, réussir à mettre sa carrière au service de sa vie et non l'inverse s'avère une attitude difficile, quoique salutaire à cultiver, pour éviter de se sentir envahi par les responsabilités professionnelles. Cela peut notamment impliquer de refuser un projet intéressant, une nouvelle responsabilité ou même une promotion, parce que les coûts exigés au plan personnel excèdent les bénéfices qu'on pourrait en retirer au plan professionnel. Le défi de l'équilibre entre la vie au travail et hors travail nécessite également que l'individu parvienne à créer un distance entre lui-même et sa vie professionnelle. Être en mesure d'établir la limite subtile entre qui il est et ce qu'il fait représente un exercice introspectif tout aussi profitable qu'exigeant, compte tenu que l'activité professionnelle est partie intégrante de l'identité chez l'adulte. Cet effort de distanciation s'avère pourtant souhaitable, afin de permettre à l'individu de se désinvestir psychologiquement du travail lorsque nécessaire, pour s'investir pleinement dans d'autres sphères d'activités.

**Savoir faire preuve de résilience**

En psychologie, la résilience est la capacité de rebondir et de se reprendre en mains après une défaite. Savoir faire face à l'adversité et transformer une épreuve en situation gagnante, en sollicitant au besoin une aide professionnelle, sont des atouts indéniables pour redonner un coup d'envoi à la carrière à la suite d'une expérience difficile.

Outre la perte involontaire d'un emploi qui représente une expérience fort exigeante à surmonter, les nouvelles carrières risquent d'exposer l'individu à des obstacles et à des situations potentiellement menaçantes tant pour le déroulement de la carrière que pour le bien-être psychologique.

Le plafonnement de carrière, évoqué antérieurement, confronte l'individu à une interruption temporaire ou définitive de sa mobilité verticale. Ce phénomène, qui résulte principalement de l'abolition des paliers hiérarchiques et de l'assouplissement des structures organisationnelles, est appelé à devenir plus fréquent (Amherdt, 1999) et à se produire de plus en plus tôt dans la carrière. Même si les nombreux travaux sur le plateau structurel ont produit des résultats contradictoires quant aux effets néfastes qui lui sont associés, il n'en demeure pas moins que pour bon nombre de personnes, il s'agit d'un événement troublant ayant des répercussions psychologiques certaines, notamment sur l'estime de soi, le sentiment de compétence et le niveau d'anxiété (Lamoureux et Cardinal, 1996).

L'expérience sera d'autant plus pénible si l'individu expérimente du même coup un plateau de contenu, c'est-à-dire une carence du point de vue des apprentissages et des stimulations provoquée par des tâches devenues trop routinières avec le temps. La panne de motivation qui en découle risque d'être vécue comme une impasse alors que l'individu plafonné se sent coincé dans un emploi qui ne lui apporte aucune gratification intrinsèque et dont il ne voit pas l'issue.

Dans un autre ordre d'idées, Moses (2003) aborde le problème de la désorientation de carrière pour décrire la crise de sens qui amène certains individus à remettre en question un choix de carrière duquel ils se sentent totalement déconnectés. Après avoir cheminé un certain temps dans une profession, ces personnes font progressivement le constat tragique que leur parcours professionnel ne leur convient pas et qu'il résulte d'événements hors de leur contrôle. Il s'ensuit un sentiment d'échec et de détresse qui perturbe le bien-être psychologique et qui mérite une intervention pouvant déboucher sur une réorientation de carrière.

On ne peut passer sous silence le syndrome d'épuisement professionnel qui continue de se manifester dans un contexte où des exigences de performance exagérées, conjuguées à un manque de reconnaissance, exercent une pression telle que la santé physique et mentale s'en trouvent affectées. La récupération, qui passe habituellement par une interruption des activités professionnelles, exige une capacité de résilience hors du commun qui permettra à l'individu de reprendre le cours de sa carrière et de retrouver la motivation nécessaire pour la faire progresser.

Enfin, mis à part ces expériences de crise, l'individu risque d'être confronté à une série de frustrations dont l'accumulation peut éventuellement nuire à son bien-être psychologique. En outre, ne pas obtenir la promotion tant convoitée et sortir bon deuxième d'un processus de sélection exigeant sont des exemples de situations insatisfaisantes et déstabilisantes au plan personnel et professionnel.

En résumé, comme on peut le constater, les nouvelles carrières placent l'individu face à de multiples tensions susceptibles d'affecter ses chances de succès psychologique. Développer une capacité de résilience peut donc s'avérer profitable, non seulement pour se prémunir face à l'échec que ces situations peuvent représenter, mais également pour les faire tourner à son avantage. Selon Moses (2003), la résilience pourrait même être utile pour mieux absorber les succès et en profiter pleinement.

### *Compétences à acquérir*

En plus de l'adoption de stratégies appropriées, la gestion individuelle de la carrière dans l'optique du nouveau paradigme passe aussi par l'acquisition d'une série de compétences qui sont susceptibles de favoriser le succès psychologique. La typologie proposée par De Fillipi et Arthur (1996) et validée empiriquement par Eby *et al.* (2003) regroupe en trois catégories les compétences nécessaires au succès.

Les compétences motivationnelles (*know why*) réfèrent aux caractéristiques qui stimulent, guident et orientent l'individu dans ses choix et décisions professionnelles. Ces habiletés, reliées au savoir-être, lui permettent d'identifier quelles sont les attentes, les besoins et les aspirations qu'il souhaite combler par son travail. Selon Eby *et al.* (2003), ce type de compétences comporte également une dimension introspective par laquelle l'individu en arrive à se former des attentes réalistes compte tenu de ses forces et de ses faiblesses et à se fixer des objectifs spécifiques. La capacité de mettre en œuvre ces compétences s'appuie sur certains traits de personnalité comme l'ouverture à l'expérience et la tendance à être proactif, qui incitent à manifester de la curiosité face à de nouvelles possibilités et à prendre des initiatives en vue de les réaliser (Eby *et al.*, 2003). L'ensemble de ces compétences motivationnelles s'avèrent utiles dans la mesure où elles contribuent à renforcer le sentiment d'identité en amenant l'individu à faire des choix de carrière conformes à son profil de personnalité.

Les compétences techniques (*know how*) regroupent l'ensemble des savoirs et savoir-faire nécessaires pour bien performer dans le cadre du travail et dans l'organisation. Dans le contexte de l'éclatement de la carrière, l'individu se doit de mettre l'accent sur l'acquisition de compétences génériques et transférables qui apportent une valeur ajoutée à l'organisation et qui contribuent au développement de son employabilité (De Fillipi et Arthur, 1996).

Pour ce faire, il devra nécessairement être capable d'identifier et de développer les compétences d'avenir de façon à se rendre attrayant aux yeux de son employeur actuel et des employeurs potentiels. En plus d'être à l'affût des compétences recherchées, il faudra être en mesure d'en connaître la valeur marchande et de les acquérir avant qu'elles ne deviennent obsolètes. Par conséquent, ce groupe de compétences inclut la propension à s'engager dans des activités de formation continue et d'autoformation en vue d'assurer la mise à jour de son portfolio. De toute évidence, la capacité d'apprentissage est un préalable incontournable au développement des compétences techniques.

Enfin, les compétences relationnelles (*know whom*) renvoient aux réseaux de relations et de contacts que l'individu a tout intérêt à développer dans et en marge de l'organisation, en vue de faire avancer sa carrière (Eby *et al.*, 2003). Les réseaux sont considérés comme des facteurs de succès incontournables en regard des nouvelles carrières principalement en raison du soutien et de la visibilité qu'ils peuvent offrir. L'efficacité du réseautage tient notamment au fait qu'il permet de se tenir informé des opportunités intéressantes dans un contexte où la majorité des emplois disponibles ne font l'objet d'aucune publicité formelle. En établissant des contacts avec des personnes influentes, un candidat en recherche d'emploi augmente ses chances de faire valoir sa candidature et de décrocher l'emploi convoité. Enfin, grâce à un réseau de contacts branchés, l'individu peut se tenir au fait des dernières compétences recherchées dans le marché et ainsi se préparer à les acquérir (Higgins et Kram, 2001, cités dans Eby *et al.*, 2003).

Toutes les compétences de la gamme présentée apparaissent non seulement souhaitables mais essentielles à acquérir pour tirer son épingle du jeu dans un marché de l'emploi qui peut sembler intransigeant. Avoir des attentes et des objectifs réalistes, être au fait des compétences exigées par les employeurs et entretenir des relations profitables sont autant de stratégies utiles dans la perspective où on décide de prendre en mains l'évolution de son devenir professionnel.

Il a d'ailleurs été démontré empiriquement que plus une personne possède chacune des trois formes de compétences du modèle, plus elle manifeste un degré élevé de succès subjectif tel que mesuré par la satisfaction en carrière (Eby *et al.*, 2003). Fait intéressant, les trois groupes de compétences sont positivement reliés à la perception que les individus entretiennent quant à leur valeur dans le marché interne (chez leur employeur) et dans le marché externe de l'emploi. Il y aurait donc un lien entre les habiletés en gestion de carrière et l'employabilité telle que perçue par l'employé. Malgré son utilité, force est de reconnaître qu'un arsenal semblable peut se révéler difficile à acquérir, en particulier les compétences motivationnelles et relationnelles qui relèvent du savoir-être.

Cela dit, les auteurs introduisent la notion de méta-compétences définies comme des compétences qui aident à en développer d'autres, plus pointues (Hall et Chandler, 2005; Mirvis et Hall, 1996).

Parmi celles-ci, la conscience de soi est une habileté d'autoanalyse qui permet à l'individu de se former une perception claire et juste de ses valeurs, de ses talents, bref ce qu'il est, mais aussi de ce qu'il aspire à devenir. Cette habileté de gestion de soi peut conduire l'individu à identifier clairement ses motivations à travers un regard lucide qu'il porte sur lui-même.

C'est également grâce à une conscience éclairée de lui-même qu'il pourra évaluer ses compétences techniques et déterminer si celles-ci ont besoin d'être actualisées. Enfin, la conscience de soi permet à l'individu d'écouter sa voie intérieure et de faire preuve d'authenticité dans les décisions relatives à sa carrière (Hall et Chandler, 2005).

Alors que la conscience de soi permet à la personne de déceler si ses compétences doivent être renouvelées, c'est grâce à sa capacité d'adaptation qu'elle pourra identifier quelles sont les habiletés à développer pour être performante dans l'avenir et, surtout, d'entreprendre les démarches nécessaires pour les développer (Hall et Chandler, 2005). En d'autres termes, la capacité d'adaptation est la méta-compétence du changement. La conscience de soi et le sens de l'adaptation sont toutes deux nécessaires pour conduire la personne à opérer les bons changements, c'est-à-dire ceux qui vont confirmer son sens de l'identité. Aussi, ces deux méta-compétences sont jugées essentielles pour surmonter les nombreuses transitions inévitables dans le contexte de l'éclatement de la carrière.

## Conclusion

Les transformations du marché de l'emploi des dernières décennies ont donné lieu à une reconceptualisation du succès en carrière qui passe par un réalignement vers la carrière interne. Ceci ne signifie pas que les critères objectifs de succès inhérents à la structure pyramidale des organisations soient totalement obsolètes. Au contraire, ils continueront d'être valorisés par tous ceux qui, quoique moins nombreux, vont adopter un cheminement de carrière linéaire. De plus, comme nous l'avons vu précédemment, le succès objectif et le succès subjectif entretiennent une relation d'interdépendance de sorte que l'un et l'autre s'influencent mutuellement.

Le réalignement signifie cependant que les individus devront se tourner davantage vers eux-mêmes pour identifier les besoins, les attentes, les aspirations auxquels ils souhaitent répondre dans leur vie professionnelle et, de là, déterminer leurs propres critères de réussite. Cette forme subjective de succès, qualifiée de succès psychologique, correspond donc au sentiment de fierté, d'accomplissement et au renforcement du sens de l'identité résultant de la réalisation des objectifs tant personnels que professionnels.

Alors que le succès psychologique représente une avenue très prometteuse en raison du bien-être qu'il procure, il s'agit néanmoins d'une voie très exigeante à emprunter. En effet, la quête du succès psychologique dans le nouveau paradigme confronte l'individu à de nombreux défis qui font appel à un registre étonnant de ressources psychologiques.

En effet, nous avons traité de l'expérience bouleversante de la perte d'emploi qui peut néanmoins se traduire en opportunité de croissance, en présence de conditions favorables. À cet égard, nous avons introduit la notion de résilience en tant que stratégie gagnante pour surmonter divers problèmes posés par la vie professionnelle.

Nous avons insisté sur l'importance de prendre sa carrière en mains pour tenter de tirer parti d'un marché de l'emploi intransigeant. Dans cette optique, la gestion individuelle de la carrière passe désormais par l'adoption d'une gamme de stratégies, de même que par l'acquisition d'un répertoire de compétences élaboré qui repose sur des aptitudes personnelles de gestion de soi.

Parmi les stratégies les plus profitables, il y a sans contredit celles qui visent l'ajustement aux transitions multiples, caractéristiques des nouvelles carrières. Qu'elles surviennent dans l'organisation ou vers l'extérieur, ces transitions peuvent s'avérer difficiles à assumer en raison des changements de rôles successifs qu'elles supposent. Et comme nous l'avons vu, les initiatives de socialisation prises par l'individu lui seront bénéfiques à la fois pour s'ajuster aux différents rôles qui lui sont confiés et pour se sentir en harmonie avec la carrière choisie.

Mais au delà des efforts individuels, il faut voir que la réussite professionnelle dépend également des tactiques de socialisation mises en œuvre par l'employeur. L'importance du processus de socialisation organisationnelle en regard du succès en carrière fait d'ailleurs consensus dans la documentation. Nous avons déjà souligné l'utilité des procédures institutionnalisées dans l'apprentissage et l'adaptation de l'employé à un nouveau rôle. À ce propos, les diverses tactiques d'intégration s'avèrent particulièrement efficaces pour favoriser l'adhésion à la culture d'entreprise et l'apprentissage des règles et politiques organisationnelles.

En somme, la réussite en carrière repose notamment sur le partage des responsabilités et des initiatives en matière de socialisation. L'autosocialisation de même que la socialisation institutionnalisée contribuent, chacune à leur manière, à la réussite tant objective que subjective de la carrière. Et c'est précisément en favorisant le succès professionnel que le processus de socialisation s'avère du coup une stratégie efficace de rétention du personnel dont l'organisation pourra bénéficier.

## Références


ALLEN, N.J., MEYER, J.P. (1990). Organizational socialization tactics: a longitudinal analyses of links to newcomers' commitment and role orientation. *Academy of Management Journal*, 33, 847-858.

AMHERDT, CH. (1999). Le chaos de carrière dans les organisations. Éditions nouvelles.

ARTHUR, M.B., HALL, D.T., LAWRENCE, B.S. (1989). Generating new directions in career theory: the case for a trans disciplinary approach, in M.B. Arthur, D.T. Hall, B.S. Lawrence (Eds), Handbook of Career Theory, Cambridge University Press, p. 7-25.

ARTHUR, M.B., KHAPOVA, S.N., WILDEROM, C.P.M. (2005). Career success in a boundaryless career world. *Journal of Organizational Behaviour*, 26, 177-202.

ARTHUR, M.B., ROUSSEAU, D.M. (1996). The Boundaryless Career. New-York: Oxford University Press.

ASFORTH, B.E., SAKS, A. (1996). Socialization tactics: effects of newcomer adjustment. *Academy of Management Journal*, 39 (1), 149-178.

ASHKENAS, R., ULRICH, D., TODD, J., KERR, S. (1995). The Boundaryless Organization, Breaking the Chains of Organizational Structure. San Francisco: Jossey-Bass.

BAKER, J.W., FELDMAN, D.C. (1990). Strategies of organizational socialization and their impact on newcomer adjustment. *Journal of Management Issues*, 2, 198-212.

BARUCH, Y. (2003). Career systems in transitions: a normative model for organizational career practices. *Personnel Review*, 32 (1-2), 231-252.

BERGLASS, J. (1986). The Success Syndrome. New York: Plenum Press.

BOURHIS, A. (2004). Des difficultés de la mesure du niveau de socialisation dans les organisations. Actes du 15e Congrès annuel de l'AGRH, Montréal, Tome 2, pp. 683-698.

BROUSSEAU, K.R., DRIVER, M.J., ENEROTH, K., LARSSON, R. (1996). Career pandemonium: realigning organizations and individuals. *Academy of Management Executive*, 10, 52-66.

CABLE, D.M., PARSONS, C.K. (2001). Socialization tactics and person-organization fit. *Personnel Psychology*, 54, 1-23.

CADIN, L., BENDER, A.F, De ST-GINIEZ, V. (1999). Au-delà des frontières organisationnelles, les carrières nomades, facteurs d'innovation. *Revue française de gestion*, 126, 58-67.

CARDINAL, L. (1993). Les méfaits de la réussite professionnelle. *Revue québécoise de psychologie*, 14 (3), 123-145.

CARDINAL, L. (1997). Vers une définition du succès en carrière. *Revue Carriérologie*, 6 (3-4), 279-293.

CARDINAL, L. (1999 a). L'éclatement de la carrière ou la carrière éclatée: un nouveau courant en carriérologie. *Revue Carriérologie*, 7 (3), 103-114.

CARDINAL, L. (1999 b). Tendances dans les trajectoires et les motivations professionnelles des gestionnaires. *Gestion*, 24 (2), 23-31.

CARDINAL, L, LÉPINE, I. (1998). La gestion individuelle de sa carrière dans l'optique d'une carrière éclatée, dans Travail et carrière en quête de sens, sous la direction de C. Lamoureux et E. Morin, Québec, Presses Interuniversitaires, p. 266-272.

CASCIO, W.F., THACKER, J.W., BLAIS, R. (1999). La gestion des ressources humaines, productivité, qualité de vie au travail, profits. Chenelière, Mc Graw-Hill.

CHAO, G.T., O'LEARY-KELLY, A.M., WOLF, S., KLEIN, H.K., GARDNER, P.D. (1994). Organizational Socialization: its content and consequences. *Journal of Applied Psychology*, 79 (5), 730-743.

CHATMAN, J.A. (1991). Matching people and organizations: selection and socialization in public accounting firms. *Administrative Science Quarterly*, 36, 459-484.

COOPER-THOMAS, H., ANDERSON, N. (2002). Newcomer adjustment: the relationship between organizational socialization tactics, information acquisition and attitudes. *Journal of Occupational and Organizational Psychology*, 75 (4), 423-438.

DANY, F. (2004). La théorie des carrières: d'où venons-nous et où allons-nous? dans la Gestion des carrières, enjeux et perspectives, sous la direction de S. Guerrero, J.L. Cerdin et A. Roger, Éditions Vuibert, p. 335-349.

De FILLIPI, R.J., ARTHUR, M.B. (1996). Boundaryless contexts and careers: a competency-based perspective, in M.B. Arthur et D.M. Rousseau (Eds), The Boundaryless Career: a New Employment Principle for a New Organizational Era. Oxford University Press, p. 116-131.

DOLAN, S.L., SABA, T., JACKSON, S.E., SCHULER, R.S. (2002). La gestion des ressources humaines. Tendances, enjeux et pratiques actuelles, 3e édition, Éditions du Renouveau pédagogique.

EBY, L.T., BUTTS, M., LOCKWOOD, A. (2003). Predictors of success in the era of the boundaryless career. *Journal of Organizational Behaviour*, 24 (6), 689-703.

FELDMAN, D. (1976). A contingency theory of socialization. *Administrative Science Quarterly*, 21, 433-437.

FELDMAN, D.C. (1981). The multiple socialization of organization members. *Academy of Management Review*, 6 (2), 309-318.

FISHER, C.D. (1986). Organizational socialization: an integrative review. *Research in Personnel and Human Resource Management*, 4, 101-145.

FUGATE, M., KINICKI, A.J., ASHFORTH, B.E. (2004). Employability: a psychosocial construct., its dimensions and applications, *Journal of Vocational behavior*, 65 (1), 14-38.

GARAVAN, T.N., MORLEY, M. (1997). The socialisation of high-potential graduates into the organization, initial expectations, experiences and outcomes. *Journal of Managerial Psychology*, 12 (2), 118-137.

GIBSON, J.L., IVANCEVICH, J.M., DONNELLY, J.H. (1982). Organizations: Behaviour, Structure, Processes. Texas: Business Publications Inc.

GOWAN, M.A., GATEWOOD, R.D. (1997). A model of response to the stress of involuntary job loss, *Human resource Management Review*, 7 (3), 277-297.

GRÉGOIRE, S., BOUFFARD, T., CARDINAL, L. (2000). Le sentiment d'efficacité personnelle et la transition de carrière, *Revue québécoise de psychologie*, 21 (3), 93-100.

GUÉRIN, G., WILS, T. (1992). La gestion des carrières: une typologie des pratiques. *Gestion*, 17 (3), 48-63.

HALL, D.T. (1976). Careers in Organizations. Glenview, IL.: Scott Foresman.

HALL, D.T. (1996). The Career is Dead, Long Live the Career: a Relational Approach to Careers. San Francisco: Jossey-Bass.

HALL, D.T., CHANDLER, D.A. (2005). Psychological success: when the career is a calling. *Journal of Organizational Behaviour*, 26, 155-176.

HALL, D.T., ISABELLA, L. (1985). Downward movement and career development. *Organizational dynamics*, 14, 5-23.

HALL, D.T., MIRVIS, P.H. (1996). The new protean career: Psychological success and the path with a heart, in D.T. Hall (Ed), The Career is Dead, Long Live The Career. San Franciso: Jossey Bass, p. 15-45.

HESLIN, P.A. (2005). Conceptualizing and evaluating career success. *Journal of Organisational Behaviour*, 26, 113-136.

HIGGINS, M.C. (2001). Changing career: the effects of social context. *Journal of Organizational Behaviour*, 22, 595-618.

JOANNETTE, M., BRUNEL, M.-L. (2001). Identification des étapes émotionnelles liés à la perte d'emploi de cadres à l'aide du modèle de deuil de Kübler-Ross, *Revue Carriérologie*, 8 (1-2), 233-250.

JONES, G.R. (1986). Socialization tactics, self-efficacy and newcomer's adjustments to organizations. *Academy of Management Journal*, 29 (2), 262-279.

KING, R.C., XIA,W., QUICK, J.C., SETHI, V. (2005). Socialization and organizational outcomes of information technology professionals. *Career Development International*, 10 (1), 26-52.

KORMAN, A.K. (1992). Succès professionnel et échec personnel. *Gestion*, 17 (3), 36-42.

LACAZE, D. (2004). La socialisation des nouveaux salariés dans l'entreprise: un apprentissage interactif, dans La Gestion des carrières: enjeux et perspectives sous la direction de S. Guerrero, J.L. Cerdin, J.C., Roger, A., Éditions Vuibert, p. 67-84.

LACAZE, D., FABRE, C. (2005). Présentation du concept de socialisation organisationnelle, dans Comportement organisationnel, volume 1: Contrat psychologique, émotions au travail, socialisation organisationnelle sous la direction de N., Delobbe, O. Herrbach, D. Lacaze et K. Mignonac, Éditions de Boeck, p. 273-302.

LAMOUREUX, C., CARDINAL, L. (1996). Répercussions psychologiques associées au plafonnement de carrière subjectif, *Revue canadienne des sciences de l'administration*, 13 (1), 22-32.

LEWICKI, R. (1981). Organizational seduction: building commitment to organizations. *Organizational Dynamics*, autumn, 5-21.

LOUIS, M. (1980a). Surprise and sense making: what newcomers experience in entering unfamiliar settings. *Administrative Science Quarterly*, 25, 226-251.

LOUIS, M. (1980b). Career transitions: varieties and commonalities. *Academy of Management Review*, 5 (3), 329-340.

MIGNEREY, J.T., RUBIN, R.B., GORDON, W.I. (1995). Organizational entry, an investigation of newcomer communication behaviour and uncertainty. *Communications Research*, 22 (1), 54-85.

MIRVIS, P.H., HALL, D.T. (1994). Psychological success and the boundaryless career. *Journal of Organizational Behaviour*, 15, 365-380.

MIRVIS, P.H., HALL, D.T. (1996). Psychological success and the boundaryless career, in M.B. Arthur, et D.M. Rousseau (Eds), The Boundaryless Career. New York: Oxford University Press, p. 237-255.

MOSES, B. (2003). What Next? The complete Guide to Taking Control of your Working Life, DK Publishing.

Ng, T.W.H., EBY, L.T., SORENSON, K.L., FELDMAN, D.C. (2005). Predictors of objective and subjective career success: a meta-analysis. *Personnel Psychology*, 58 (2), 367-409.

NICHOLSON, N., WEST, M. (1989). Transitions, work histories, and careers, in M.B. Arthur, D.T. Hall, B.S. Laurence (Eds), Handbook of Career Theory. Cambridge University Press, p. 181-201.

ORPEN, C. (1983). The career patterns and work attitudes of plateaued and non plateaued managers. *International Journal of Manpower*, 4, 32-37.

PÉPIN, R. (1999). Stress, bien-être et productivité au travail. Les éditions Transcontinental.

PORTER, L.W., LAWLER, E.E. III, HACKMAN, J.R. (1975). Behavior in Organizations. New York: McGraw-Hill.

RIORDAN, C.M., WEATHERLY, E.W., VANDENBERG, R.J., SELF, R.M. (2001). The effects of pre-entry experiences and socialization tactics on newcomer attitudes and turnover. *Journal of Managerial Issues*, 13 (2), 159-177.

ROQUES, O. (2004). L'ajustement aux transitions de carrière, dans La gestion des carrières, enjeux et perspectives sous la direction de S. Guerrero, J.K.Cerdin et A. Roger, Vuibert Ed., p. 85-98.

SABA T., GUÉRIN, C. (2004). Planifier la relève dans un contexte de vieillissement de la main-d'oeuvre. *Gestion*, 29 (3), 54-63.

ST-ONGE, S., AUDET, M., HAINES, V., PETIT, A. (2004). Relever les défis de la gestion des ressources humaines, 2e édition, Gaétan Morin éditeur.

SCHOLARIOS, D., LOCKYER, C., JOHNSON, H. (2003). Anticipatory socialization: the effect of recruitment and selection experiences on career expectations. *Career Development International*, 8 (4), 182-198.

STEWART, J., KNOWLES, V. (1999). The changing nature of graduate careers. *Career Development International*, 4 (7), 370-383.

THITE, M. (2001). Help us but help yourself: the paradox of contemporary career. *Career Development International*, 6 (6), 312-318.

TREMBLAY, M. (1992). Comment gérer le blocage des carrières. *Gestion*, 17 (3), 73-82.

VAN MAANEN, J. SCHEIN, E. (1979). Toward a theory of organizational socialization, in B.M. Staw Ed., Research in Organizational Behavior, vol.1, CT: JAI Press, p. 209-264.

WANOUS, J.P. (1980). Organizational Entry: Recruitment, Selection and Socialization of Newcomers. Reading, M.A.: Addison Wesley.

WANOUS, J.P. (1992). Organizational Entry: Recruitment, Selection, and Socialization of Newcomers. 2nd ed., NJ: Prentice Hall.

# Chapitre 3

# *La rétention du personnel*

# Partie 1

## *Perspective organisationnelle : Diagnostic et stratégies de rétention*

Malgré les nombreux efforts déployés par les entreprises pour susciter l'engagement de leur personnel et restaurer une forme de loyauté, de plus en plus d'employés compétents et hautement performants décident de mettre fin à leur relation avec leur employeur pour aller poursuivre leur carrière dans d'autres organisations. De fait, les changements dans l'univers du travail, la rupture du contrat psychologique traditionnel et divers facteurs de la nouvelle économie ont eu comme effet de favoriser, au cours des dernières années, l'accroissement de la mobilité interfirmes. Selon des statistiques alarmantes, ce phénomène, qui touchait à l'origine certains secteurs comme les technologies de l'information et certaines catégories d'employés comme le personnel de grand talent, atteint maintenant la majorité des secteurs d'emploi et concerne divers groupes d'employés jugés critiques au succès de l'organisation. Et bien que le problème touche tous les types d'entreprises, il serait particulièrement criant dans les PME qui disposent de moyens modestes pour y faire face (Richer, 2004).

La question des départs volontaires est désormais préoccupante pour ne pas dire troublante. L'intérêt pour ce problème de gestion se reflète d'ailleurs dans la prolifération d'articles, de séminaires et de sites Internet qui proposent tantôt des stratégies élaborées de rétention, tantôt des trucs instantanés pour contrer ce phénomène qui prend définitivement l'allure d'un fléau. Une étude américaine citée par Gordon et Lowe (2002) indique que 33 % des travailleurs sondés avaient l'intention de quitter leur emploi au cours des deux prochaines années. Selon une recherche comparative effectuée à l'échelle internationale, les entreprises canadiennes sont celles qui affichent le taux d'intention de départ le plus élevé, c'est-à-dire 17 %, comparativement à 14,3 % aux États-Unis et à 1,0 % au Japon (Sousa-Poza et Henneberger, 2004). Alors que certaines organisations utilisent des stratégies agressives pour réduire leur taux de roulement, d'autres auraient plutôt tendance à abdiquer face à ce phénomène qu'elles croiraient inéluctable, voire insoluble (Kaye et Jordan-Evans, 1999).

Or, de l'avis des experts (Garger, 1999; Gordon et Lowe, 2002), l'augmentation de la mobilité extraorganisationnelle est là pour perdurer. De surcroît, la rétention des employés de valeur représente un enjeu majeur pour un nombre croissant d'organisations qui cherchent à préserver un noyau stable de ressources et de compétences indispensables à leur succès. Comment expliquer cet accroissement inquiétant des départs volontaires? Comment faire pour empêcher les meilleurs employés d'aller lorgner du côté de la compétition pour y voir si la pelouse est plus verte? De quelle manière les employeurs peuvent-ils s'y prendre pour améliorer le niveau de stabilité dans leur entreprise?

Après avoir exposé un aperçu des facteurs susceptibles d'expliquer l'augmentation du roulement volontaire du personnel, nous proposerons une démarche pour permettre de diagnostiquer ce genre de problème au sein d'une organisation. Nous présenterons ensuite les stratégies de rétention les plus populaires dans la documentation assorties de quelques principes visant à en améliorer l'efficacité. En guise de conclusion, il sera question des défis et enjeux auxquels les organisations soucieuses de conserver leur personnel de valeur se heurtent désormais.

## Facteurs explicatifs

D'entrée de jeu, il convient de souligner que le roulement de personnel visé par les pratiques de rétention est celui qui est considéré dysfonctionnel pour l'organisation. Effectivement, les recherches sur la question distinguent deux types de roulement de personnel selon les conséquences qu'il entraîne. Le taux de roulement est dit fonctionnel lorsqu'il s'accompagne de retombées positives pour l'organisation telles une augmentation de la flexibilité ou un renouvellement des valeurs ou des compétences. Ce taux de roulement de personnel concerne habituellement le départ volontaire d'employés que l'entreprise n'a pas intérêt à conserver en raison d'une performance médiocre, par exemple (Park *et al.*, 1994, cités dans Nadeau, 1999; The Harvard Business Essentials Series, 2002). Inversement, le taux de roulement peut être qualifié de dysfonctionnel lorsqu'il concerne le départ d'employés que l'entreprise aurait préféré conserver à cause de la contribution positive qu'ils apportent et des conséquences négatives associées à leur perte (Trevor *et al.*, 1997, cités dans Nadeau, 1999).

Plusieurs facteurs conjugués sont susceptibles d'expliquer cette augmentation du taux de roulement qui peut se révéler dysfonctionnel pour l'organisation. Au cours des années 1990, cet accroissement des départs volontaires était vu comme une conséquence directe des opérations de restructuration et de rationalisation des effectifs des années 1980. On assistait alors à un phénomène de retour du balancier dans ces entreprises qui, après avoir aboli de nombreux postes et effectué des mises à pied massives, devaient faire place au départ de ressources indispensables. La rupture du contrat psychologique, l'insécurité d'emploi qui en a résulté, la détérioration des possibilités de carrière sont tous des facteurs qui ont contribué à favoriser la mobilité chez ceux qui ont survécu à la médecine du couperet.

La globalisation des marchés à l'origine des stratégies de rationalisation a paradoxalement montré le chemin de la sortie à plusieurs employés talentueux désormais en contact avec un nombre accru d'employeurs qui sollicitent leurs talents. Parallèlement, la compétitivité des marchés dans des secteurs de pointe a favorisé la mobilité de personnes dotées de compétences rares et distinctives et conscientes de leur valeur sur le marché. L'exode des cerveaux vers des pays qui offrent des conditions de travail alléchantes découle d'une conjoncture qui valorise et recherche le capital intellectuel si prisé dans un contexte de mondialisation.

Depuis le début du nouveau millénaire, on subit les conséquences des mouvements enclenchés dans l'univers du travail au cours des dernières décennies. Parmi celles-ci, on constate que la mentalité des travailleurs et en particulier celle des nouvelles générations a considérablement évolué. Les individus de la génération X et Y pénètrent le marché du travail avec des valeurs, des attentes et des exigences différentes de la génération des *baby-boomers* qui les prédisposent déjà à une plus grande mobilité (Kaye et Jordan–Evans, 1999; Richer, 2004). Ils se montrent plus indépendants et plus libres face aux employeurs dont ils attendent essentiellement un emploi stimulant qui leur permet d'utiliser pleinement leur potentiel et leur créativité. Ils anticipent et souhaitent faire carrière dans plusieurs milieux de travail où chacun représenterait un lieu d'apprentissage et un tremplin vers un emploi plus excitant. On peut donc s'attendre à une stabilité moindre de ces personnes qui adopteront un modèle de carrière éclatée et qui fréquenteront, souvent par choix, plusieurs employeurs différents au cours de leur vie professionnelle.

Par ailleurs, les nouvelles règles du marché de l'emploi ont eu pour effet de rendre les travailleurs plus mobiles et plus responsables de la gestion de leur carrière. Cela dit, ils transposent à eux-mêmes la loyauté jadis dévolue à un employeur et se montrent davantage à l'affût des opportunités extérieures susceptibles de les servir. Enfin, même si les nouveaux paramètres et les valeurs montantes peuvent influencer la mobilité des travailleurs, il ne faut pas perdre de vue que des facteurs propres à l'organisation et à une gestion inadéquate des ressources humaines sont susceptibles d'encourager des employés à quitter leur emploi. L'absence d'opportunités d'apprentissage ou de carrière, l'insatisfaction à l'endroit du supérieur immédiat et/ou des conditions de travail insatisfaisantes, le manque de soutien et de reconnaissance peuvent également inciter des employés compétents à entreprendre des démarches pour changer de situation.

En bref, le phénomène des départs volontaires est complexe, multidimensionnel et, pour toutes les raisons invoquées plus haut, en voie d'expansion. Bien que certaines des causes peuvent sembler incontournables, les organisations sont loin d'être démunies pour affronter cette réalité. La lutte efficace contre un taux de roulement dysfonctionnel nécessite néanmoins de recourir à une stratégie globale et proactive de rétention dont la première étape est sans contredit d'identifier les facteurs à l'origine du problème.

## Diagnostic

L'adoption de stratégies de rétention efficaces repose, de toute évidence, sur une analyse rigoureuse et une compréhension articulée du problème de roulement de personnel auquel chaque organisation est heurtée. Le diagnostic représente donc une étape préalable et incontournable à l'implantation de tout programme destiné à diminuer le taux de roulement du personnel. Ce travail rigoureux d'analyse devrait notamment permettre de déterminer quelles sont les personnes qui quittent l'entreprise en termes de profil démographique et de compétences et quelles sont les ressources que l'entreprise souhaite conserver. Dans un second temps, il s'agira d'établir les facteurs qui incitent certains employés à laisser leur emploi ou encore à le conserver. Enfin, le diagnostic comprend une analyse de l'environnement en vue de dégager une image de l'organisation et de la compétition. Dans cette perspective, nous présentons une démarche en quatre étapes permettant de déceler et d'analyser une situation problématique de roulement de personnel.

### *1. Analyse du taux de roulement*

Cette première phase du diagnostic a pour but d'évaluer l'ampleur et la nature du problème au sein de l'entreprise. Ceci implique de recueillir, au cours d'une période de temps suffisamment étendue, des données statistiques concernant le taux de rotation du personnel par secteur, par poste ainsi que la durée moyenne dans chacun des postes et dans l'organisation. Cette analyse devrait également permettre d'établir le profil démographique des employés qui quittent volontairement l'entreprise. Les informations pertinentes concernent le poste occupé lors de la démission, le niveau hiérarchique, le degré et le type de scolarité, les antécédents de carrière, le niveau de performance, les compétences distinctives, etc. Il est également utile de déterminer, lorsque c'est possible, de quelle façon ces employés ont été recrutés. Par exemple, il serait intéressant de comparer la stabilité en poste des employés qui ont été recrutés par Internet versus celle des personnes qui ont été recommandées par des employés de l'entreprise.

Pour déterminer l'importance du problème, on se doit de prendre en compte les coûts directs et indirects qui sont engendrés par le départ des employés. Les coûts directs incluent notamment les coûts de remplacement (recrutement, sélection, formation) et le niveau de performance des nouveaux employés en cours d'apprentissage. Selon certaines sources (Ramlall, 2004; The Harvard Business Essentials Series, 2002), il peut en coûter en moyenne jusqu'à 1,5 fois le salaire annuel de chaque employé remplacé surtout dans les cas où il y aurait une indemnité de départ à verser ou encore des frais de recherche de candidats par des firmes spécialisées. Les coûts indirects concernent la perte de capital intellectuel, de flexibilité, la baisse de moral chez ceux qui restent, qui, tout en affectant l'efficacité globale de l'organisation, sont plus difficiles à mesurer (Garger, 1999; Ramlall, 2004)[7].

### *2. Identification des raisons de départ et de conservation de l'emploi*

Le cœur du diagnostic consiste à déterminer les facteurs qui amènent certains employés à quitter l'entreprise. Les

7. Le site www.elearning.hbsp.org propose des outils pour calculer les coûts associés au taux de roulement.

nombreuses recherches conduites en cette matière au cours des dernières décennies ont permis de mettre en lumière une panoplie de facteurs explicatifs tantôt liés à l'individu lui-même (insatisfaction, manque d'engagement), tantôt liés à l'organisation (climat de travail, structure centralisée), ou encore à l'environnement externe (conditions du marché de l'emploi).

À la suite d'une recherche d'envergure dont les matériaux proviennent essentiellement d'entrevues de départ, Branham (2006) identifie sept grandes causes de départ chez des employés démissionnaires :

- Le milieu de travail et l'emploi ne correspondent pas aux attentes de l'employé ;
- l'incompatibilité entre la personne et son poste ;
- le manque de feed-back et de coaching de la part du supérieur immédiat ;
- le manque d'opportunité de carrière et de développement personnel ;
- le manque de reconnaissance et sentiment de dévalorisation ;
- le stress lié à la conciliation travail-famille ;
- la perte de confiance envers les cadres supérieurs de l'entreprise.

Il est intéressant de constater que de prime abord, la majorité des causes répertoriées sont sous le contrôle de l'entreprise et même du supérieur immédiat. Qui plus est, certaines d'entre elles, dont le manque de compatibilité avec le poste, auraient pu être prévenues dès le recrutement et la sélection.

Le diagnostic nécessite également de s'attarder à l'intention de départ, c'est-à-dire à l'identification des causes qui peuvent inciter un employé non pas à quitter mais bien à vouloir quitter son emploi. Cette approche, qui sera traitée subséquemment, permet d'appréhender la problématique du départ volontaire à sa source, en s'intéressant à la façon dont l'idée de départ émerge dans l'esprit de l'employé.

Enfin, il conviendra également de faire porter l'analyse sur les facteurs de rétention, ceux-là mêmes qui incitent une majorité d'employés à demeurer membres de l'organisation. En plus de favoriser une vision globale du problème, cette démarche en trois volets pourra conduire à des pistes d'intervention et même de prévention plus appropriées.

De façon à bien cibler les causes de départ qui prévalent dans une entreprise donnée, deux types d'entrevue peuvent être réalisées. Il convient dans un premier temps d'effectuer une entrevue de départ auprès de chaque employé qui présente une lettre de démission, afin de découvrir les motifs qui ont guidé sa décision. Ces entrevues sont particulièrement délicates à conduire dans la mesure où les employés démissionnaires ont souvent peu d'intérêt ou de motivation à divulguer les raisons réelles de leur départ. Il est même suggéré d'attendre au moins six mois avant de procéder à la rencontre, de façon à permettre aux ex-employés de prendre du recul et de se sentir plus libres de communiquer les motifs véritables de leur décision (Garger, 1999). L'entrevue de départ devrait être menée soit par un cadre supérieur ou encore par une représentant du service des ressources humaines et non par le supérieur immédiat, souvent en cause dans le départ de l'employé.

Outre les motivations sous-jacentes au départ, plusieurs autres thèmes peuvent être explorés dont les attentes lors de l'entrée en fonction et des suggestions quant à l'amélioration du contexte de travail. Par ailleurs, l'entrevue de groupe semi-structurée (*focus group*) peut être réalisée auprès des employés qui demeurent au sein de l'entreprise afin d'identifier les facteurs qui favorisent chez eux la rétention. Certaines études évoquées par Gordon et Lowe (2002), qui portent sur un large éventail d'entreprises, ont permis de révéler trois facteurs de premier plan qui motivent la décision de conserver un emploi : la qualité de la relation avec le supérieur immédiat, la possibilité de développer son employabilité et le partage du succès financier de l'entreprise.

Ces entrevues de groupe s'avèrent utiles pour connaître ce qui a amené les participants à se joindre à l'organisation au départ et pour vérifier si ces facteurs d'attrait sont encore présents dans l'organisation. Ce genre de discussion, dont le succès repose sur un climat de liberté, fournit l'occasion de sonder les attentes, de déceler la présence de frustrations et d'y remédier avant qu'il ne soit trop tard.

### *3. Identification du personnel à retenir*

Dans l'optique de la rétention, une étape indispensable consiste à déterminer quels sont les employés ou les groupes d'employés qui seront visés par les pratiques de rétention. En d'autres termes, l'entreprise se doit de déterminer quel est son personnel clé.

S'agit-il des employés hautement performants ou productifs (Vandenberghe, 2004), ou encore des gestionnaires à haut potentiel susceptibles d'atteindre les plus hauts échelons de l'entreprise? S'agit-il du personnel de valeur qui possède une expertise particulière ou un talent critique? Qu'en est-il du personnel stratégique, c'est-à-dire celui qui possède des compétences rares et uniques, difficiles à imiter ou à remplacer et qui représente un avantage compétitif pour l'organisation (Allaire et Firsirotu, 1993)?

À la suite d'une recherche portant sur cette problématique auprès de 15 entreprises québécoises, Nadeau (1999) regroupe en trois catégories l'ensemble des caractéristiques citées par les répondants pour définir le personnel clé qu'ils souhaitent conserver (voir tableau 5). Pour conclure, mentionnons que les pratiques de rétention devraient d'abord viser essentiellement le personnel jugé critique au succès de l'organisation, c'est-à-dire les employés que l'entreprise n'a tout simplement pas les moyens de perdre.

## TABLEAU 5
## Caractéristiques du personnel clé selon l'étude de Nadeau (1999)

| Personnel clé | Caractéristiques |
|---|---|
| Personnel stratégique | – A un lien direct avec la raison d'être de l'entreprise, influence le plan d'affaires et les grandes orientations ou occupe un poste clé (critique)<br>– Possède une expertise, des compétences ou des connaissances critiques pour le succès de l'organisation ou pour lesquelles il existe une pénurie ou une rareté<br>– Est difficile à remplacer ou à recruter<br>– Implique des investissements importants en formation<br>– Crée une certaine vulnérabilité dans l'entreprise lors de son départ |
| Personnel à haut potentiel | – Possède un fort potentiel de développement et de progression<br>– Possède les compétences identifiées comme clés par l'organisation<br>– Est compétent dans divers environnements<br>– Atteint les objectifs fixés<br>– N'est pas nécessairement dans un poste d'importance, mais est appelé à en occuper un dans un proche avenir<br>– Démontre un intérêt marqué pour l'entreprise<br>– Partage les valeurs organisationnelles |
| Personnel hautement performant | – Atteint les objectifs fixés et même les surpasse<br>– Est très compétent<br>– Partage les valeurs de l'organisation |

### *4. Analyse de l'environnement interne et externe*

L'analyse de l'environnement interne concerne l'examen des politiques et des pratiques de GRH existantes qui sont susceptibles de favoriser ou non la rétention du personnel clé.

Il convient également de procéder à un diagnostic du climat organisationnel et à un audit de la culture afin de détecter les éléments qui pourraient faire fuir les employés.

L'analyse de l'environnement externe vise à connaître les caractéristiques du marché de l'emploi et à établir un portrait de la compétition. Il s'agit de découvrir notamment quelles sont les entreprises capables d'attirer nos employés, quels sont leurs atouts et leurs méthodes de recrutement. Le tableau 6 résume les questions auxquelles devraient permettre de répondre le diagnostic du roulement de personnel.

**TABLEAU 6**
**Diagnostic du roulement du personnel**

| | |
|---|---|
| ÉTAPE 1 | – Quel est le taux de roulement dans l'entreprise?<br>– Quel est le profil des employés qui quittent?<br>– Quels sont les coûts directs et indirects associés à ces départs? |
| ÉTAPE 2 | – Quelles sont les principales causes de départ?<br>  – facteurs individuels?<br>  – facteurs liés au contexte de travail?<br>  – facteurs liés à l'environnement?<br>– Quels sont les facteurs susceptibles de générer l'intention de départ?<br>– Quels sont les facteurs qui incitent les employés à conserver leur emploi? |
| ÉTAPE 3 | – Qui est le personnel clé à retenir?<br>– Quelles sont ses caractéristiques?<br>– Quelles sont ses compétences distinctives?<br>– Quelles sont ses caractéristiques démographiques?<br>– Y a-t-il des groupes à risques? |
| ÉTAPE 4 | – Quels sont les aspects de l'organisation qui favorisent la rétention du personnel clé?<br>– Quels sont les aspects qui la défavorisent?<br>– Quelles sont les entreprises qui embauchent les ex-employés?<br>– Quels sont les avantages concurrentiels de ces entreprises? |

## Stratégies de rétention

L'enjeu principal en matière de rétention consiste à réduire le taux de roulement volontaire spécifiquement chez les employés que l'entreprise souhaite conserver. Les moyens utilisés pour les retenir doivent donc refléter les caractéristiques de ce personnel clé. De toute évidence, les mesures employées doivent également chercher à enrayer les causes de départ que le diagnostic aura permis d'identifier. Surtout, les stratégies de rétention devraient avoir comme effet de fidéliser le personnel de manière à inculquer aux employés à haut risque de quitter le désir profond de rester. De l'avis de certains auteurs (Paillé, 2004; Vandenberghe, 2004), la rétention passerait par une nouvelle forme de fidélisation nécessairement adaptée aux changements dans l'environnement du travail. Cela dit, les solutions auxquelles peuvent recourir les organisations semblent, de prime abord, nombreuses et diversifiées. Une pléthore d'articles publiés au cours des dernières années, tant dans la presse d'affaires que dans les revues scientifiques, suggère un arsenal de mesures destinées à contrer l'exode du personnel. Voici donc une synthèse des pratiques de gestion des ressources humaines réputées pour leur potentiel de fidélisation.

### *Recrutement et embauche*

On reconnaît de plus en plus que l'embauche et la rétention du personnel repésentent les deux facettes d'une même médaille (Kaye et Jordan-Evans, 1999; Garger, 1999; Gordon et Lowe, 2002; The Harvard Business Essentials Series, 2002). Effectivement, la logique porte à croire que si l'on réussit à s'adjoindre les bonnes ressources dès le départ, leur rétention s'en trouvera facilitée. Dans une perspective de rétention, il convient cependant d'orienter la sélection non seulement en fonction de l'arrimage entre les compétences d'une personne et les exigences d'un poste (compatibilité individu-emploi), mais aussi selon l'évaluation de la compatibilité entre la personne prise dans sa globalité et les caractéristiques de l'organisation qui l'emploie, à savoir la compatibilité individu-organisation (C-I-O). Cette approche, décrite au premier chapitre, aurait un effet positif sur la rétention dans la mesure où elle favorise une harmonisation entre le profil motivationnel de l'employé, (attentes, besoins, valeurs) et l'environnement psychosocial dans lequel il est appelé à travailler (Bowen *et al.*, 1991). Certaines recherches ont d'ailleurs démontré l'incidence de cette compatibilité individu-organisation sur la réduction du taux de roulement, et ce, dans divers contextes (Chatman, 1991 ; O'Reilley *et al.*, 1991 ; Bretz et Judge, 1994 ; Kristof, 1996). La C-I-O a aussi comme avantage de donner de la flexibilité à l'employeur en lui permettant de relocaliser ses ressources vers d'autres postes ou secteurs au fur et à mesure que les besoins de l'organisation évoluent (Bowen *et al.*, 1991). Pour être en mesure d'orienter la sélection vers une telle harmonisation, encore faut-il être capable d'attirer et de recruter un bassin de candidats susceptibles de répondre aux besoins de l'organisation. Pour parvenir à attirer les meilleures ressources, l'entreprise se doit d'être un employeur de choix et d'être perçue comme tel par les candidats potentiels (Mathieu, 2001). Cela dit, la rétention passe également par l'élaboration de stratégies de marketing afin de projeter une image distinctive permettant à l'employeur de se démarquer de la concurrence.

### *Socialisation à la culture organisationnelle*

Même en s'assurant, lors de la sélection, de l'alignement entre les valeurs de l'employé et celles de l'employeur, la socialisation permet de consolider la démarche de dotation en sensibilisant les nouvelles recrues à la culture d'entreprise. Comme nous l'avons vu au chapitre précédent, il s'agit pour l'employeur d'utiliser diverses méthodes d'intégration en vue d'amener les employés à partager les valeurs et la mission de l'organisation et, partant, à se sentir plus efficaces dans leur rôle. L'intégration à court terme, principalement lorsqu'elle est réalisée par des cadres supérieurs, aura pour effet de manifester aux nouveaux employés l'intérêt et le respect qu'on leur porte et, en retour, favoriser leur rétention (Garger, 1999). Selon Mathieu (2001), les activités d'intégration fournissent à l'employeur l'occasion idéale de promouvoir la qualité de ses programmes de gestion des ressources humaines et, par le fait même, de démontrer aux nouveaux employés à quel point il est soucieux de leur bien-être.

### *Développement des compétences et employabilité*

Le développement des compétences dans une perspective de rétention comporte deux volets : la mise à jour des connaissances et habiletés en vue d'améliorer le rendement dans l'emploi actuel; le développement de nouvelles compétences dites transversales, en vue de préparer l'employé à occuper d'autres fonctions dans l'entreprise ou à l'extérieur de l'entreprise (The Harvard Business Essentials Series, 2002). Les individus qui parviennent ainsi à actualiser et à enrichir leur portefeuille de compétences seraient moins enclins à changer d'employeur pour acquérir de nouvelles expériences. Aussi paradoxal que cela puisse paraître, le fait de favoriser l'employabilité de ses meilleures ressources s'avère du même coup une stratégie fort efficace pour les conserver (Gordon et Lowe, 2002; Garger, 1999). Le défi est d'offrir des opportunités de développement qui servent à la fois les intérêts de l'employeur et des employés (Garger, 1999). Dans cette optique, il s'avère judicieux de mettre l'accent sur des programmes de formation qui visent le développement des compétences intellectuelles. Dans l'économie du savoir, le principal avantage concurrentiel, tant pour les entreprises que pour les individus, réside dans l'accumulation d'un savoir et d'un savoir-faire distinctifs permettant à chacune des deux parties de se démarquer de la compétition.

### *Développement de la carrière*

À la suite de la rupture du contrat psychologique traditionnel, plusieurs organisations ont à tort décliné leur responsabilité en matière de gestion des carrières, de sorte que les individus ont été de plus en plus laissés à eux-mêmes pour gérer leur avenir professionnel (Baruch, 2003; Cardinal et Lépine, 1998; Thite, 2001). Pourtant, une plus grande implication et surtout une implication mieux ciblée dans les carrières de leurs employés représenteraient pour l'organisation un moyen efficace de susciter l'engagement et, partant, d'installer les bases d'une fidélité renouvelée. Pour favoriser la rétention, les organisations se doivent cependant d'adhérer à une conception de la gestion des carrières qui tienne compte des valeurs montantes, des changements dans le contrat psychologique et de l'augmentation de la mobilité interfirmes (Baruch, 2003). Cette philosophie nouvelle suppose que l'employeur abandonne la vision paternaliste qui a marqué traditionnellement la gestion des carrières, au profit d'une démarche qui responsabilise l'employé et l'implique à part entière dans l'évolution de sa vie professionnelle (Baruch, 2003; Garger, 1999; St-Onge *et al.*, 2004). À cet égard, l'expression de «développement de la carrière» (Amherdt, 1999) est plus appropriée que celle de «gestion des carrières» pour rendre compte de cette responsabilité partagée qui permet la conciliation des besoins individuels à ceux de l'organisation. Dans cette optique, le rôle de l'organisation est de procurer à l'employé les ressources et le soutien nécessaires pour lui permettre de prendre en charge son avenir professionnel en s'assurant que les objectifs de développement qu'il poursuit sont compatibles aux besoins de l'organisation.

Le développement de la carrière favorisera la rétention notamment à travers les opportunités de succès psychologique auxquelles il peut contribuer. En effet, la possibilité de participer à l'évolution de sa carrière en effectuant des choix qui correspondent à son image et à ses aspirations aura pour effet de rehausser le sentiment d'identité et de contrôle, gage d'un mieux-être psychologique. De plus, la logique porte à croire que les personnes qui parviennent à combler leurs aspirations et à se développer chez leur employeur seront moins tentées d'aller voir ailleurs si de telles opportunités existent.

***Systèmes de récompenses***

Les stratégies de rétention liées aux systèmes de récompenses sont généralement regroupées en deux catégories dans la documentation : les pratiques monétaires et les pratiques non monétaires.

En ce qui a trait aux pratiques monétaires, il va de soi qu'une rémunération compétitive incluant la rémunération globale, l'intéressement à long terme par le partage d'actions, des primes pour les compétences rares et des bonis de rétention peut représenter un arsenal de taille, voire un préalable incontournable lorsqu'il s'agit d'inciter les meilleurs employés à conserver leur emploi. Il ne faut pas cependant surestimer l'efficacité de ces mesures que les employés ont souvent tendance à tenir pour acquises et qui perdent alors leur pouvoir de rétention (Garger, 1999 ; Kaye et Jordan-Evans, 1999 ; Ramlall, 2004). Qui plus est, nombre d'auteurs, études empiriques à l'appui, soutiennent que les incitations non monétaires ou intangibles ont plus de poids que la composante monétaire dans la décision de demeurer membre de l'organisation (Garger, 1999 ; Kaye et Jordan-Evans, 1999 ; Gordon et Lowe, 2002 ; Ramlall, 2004). Ces travaux ont notamment démontré que des pratiques qui favorisent la conciliation travail-famille (horaires flexibles, télétravail, garderies en milieu de travail, etc.) comptent parmi les plus efficaces pour susciter l'engagement au travail et, par ricochet, la rétention. Outre ces dernières, la reconnaissance des efforts et du rendement s'avère une source de valorisation universelle et intemporelle qui fonctionne quel que soit le niveau hiérarchique ou le poste occupé. Le fait de souligner les bons coups des employés performants par des marques de reconnaissance personnalisées, manifestées sincèrement et aux bons moments, représente une forme d'incitation gratuite qui vaut son pesant d'or (Kaye et Jordan-Evans, 1999 ; Garger, 1999).

On remarque, depuis quelques années, un engouement, justifié par ailleurs, pour les pratiques de reconnaissance axées sur la personne. Ces pratiques, qui ont notamment pour effet de favoriser la rétention et de susciter un engagement accru envers le travail (Plourde et Héon, 2004), reposent sur l'établissement de relations interpersonnelles authentiques avec les partenaires de travail. En outre, la reconnaissance relationnelle offre l'avantage d'amener les individus à s'«autoreconnaître» en raison du respect et de l'appréciation qu'on leur témoigne. Rappelons que c'est principalement à travers le maintien et le rehaussement de l'estime de soi que les marques de reconnaissance produisent leurs effets bénéfiques. Il convient de noter cependant que cette rétroaction positive sera d'autant plus efficace qu'elle sera entérinée par une culture organisationnelle et une philosophie de gestion qui misent sur l'importance du facteur humain (Plourde et Héon, 2004; Savard, 2003).

En somme, le défi dans l'élaboration d'un système de récompenses apte à susciter la rétention consiste à établir un dosage judicieux entre les gratifications extrinsèques et les gratifications intrinsèques. Ce faisant, il conviendra de viser une stratégie personnalisée par laquelle chaque employé pourra ressentir un équilibre entre sa contribution à l'organisation et la rétribution reçue (Paillé, 2004). À cela s'ajoute l'importance de renouveler régulièrement les programmes d'incitations et de faire preuve d'originalité de manière à devancer les entreprises concurrentes.

### *Contenu du travail*

La satisfaction au travail, chez le personnel clé, passerait également par le plaisir, voire le sentiment d'exaltation que peuvent procurer des tâches captivantes sur le plan de la créativité et de la concentration. Le psychologue Csikszentmihaly (1990, 2004) a introduit la notion de «*flow*» (flux) pour décrire cette sensation de plaisir intense générée par une activité dans laquelle une personne s'investit totalement. Dans le même ordre d'idées, d'autres auteurs suggèrent de concevoir des emplois qui non seulement suscitent la passion mais qui permettent également aux employés d'intégrer leurs passions personnelles dans leur travail (Gordon et Lowe, 2002; Kaye et Jordan-Evans, 1999). De plus, le fait d'occuper un emploi significatif et signifiant, où la personne peut constater par elle-même sa contribution à l'atteinte des objectifs de l'organisation, peut exercer un effet positif sur la rétention. En particulier, les travailleurs des générations X et Y veulent d'abord et avant tout créer un impact par leur travail et en récolter les honneurs (Richer, 2004; Kaye et Jordan-Evans, 1999).

En bref, la possibilité d'exercer un travail riche et stimulant qui sollicite au maximum les compétences et la créativité, tout en permettant de se sentir en contrôle et de s'accomplir représentent autant de facteurs intrinsèques susceptibles de contribuer à l'attachement envers son emploi. À cet égard, les modèles classiques de motivation, en particulier ceux qui misent sur l'enrichissement des tâches (Hackman et Oldham, 1981), demeurent très pertinents dans une perspective de rétention. L'employé qui réussit à trouver dans le cadre de son travail des opportunités de croissance et de développement personnel serait moins enclin à entreprendre des démarches de recherche d'emploi en vue de satisfaire ses besoins.

## Rôle du supérieur immédiat

Comme on peut le constater, les pratiques qui viennent d'être exposées relèvent des différents systèmes et programmes de gestion des ressources humaines dans l'organisation. Au-delà de ces pratiques plus «macro», il ne faut pas négliger l'importance du supérieur immédiat et de son style de gestion sur la rétention du personnel. D'ailleurs, l'insatisfaction à l'endroit du supérieur immédiat est souvent considérée comme l'une des principales causes de départ des employés (Kaye et Jordan-Evans, 1999; The Harvard Business Essentials Series, 2002). On pourrait même aller jusqu'à dire que les stratégies globales dont nous avons traité antérieurement auront peu ou pas d'impact si le supérieur immédiat, ou plus spécifiquement son style de leadership, n'est pas apprécié. Manquer de confiance ou de respect envers ses subordonnés, s'approprier le crédit de leurs réalisations, donner exclusivement du feed-back négatif, et faire preuve d'intolérance et d'intransigeance sont des exemples de comportements qui peuvent facilement amener un employé à développer une aversion envers son supérieur immédiat au point de vouloir s'en séparer.

En plus du respect et de la reconnaissance qu'il doit prodiguer à chacun de ces collaborateurs, le superviseur immédiat se doit de refléter, par ses actions, la culture de l'organisation. Selon Vandenberghe (2004), la fidélisation repose sur des superviseurs qui sont à la fois à l'écoute de leurs employés et capables de transmettre les valeurs de l'entreprise. Également, il revient au superviseur de démontrer à l'employé comment son appartenance à l'entreprise pourra lui permettre de combler ses aspirations professionnelles. Enfin, la rétention passe nécessairement par l'établissement d'une relation de confiance qui repose sur des principes de communication, de transparence et d'information. Pour se sentir dans le coup, les employés, en particulier les cadres de haut niveau, ont besoin d'être renseignés sur les orientations stratégiques, les problèmes de l'entreprise et, surtout, les bilans financiers (Gordon et Lowe, 2002). De plus, ils veulent être entendus sur ces mêmes questions et souhaitent que leur opinion soit non seulement sollicitée mais aussi considérée dans la résolution des problèmes. En ce sens, une saine communication bilatérale permettra de forger des alliances et de créer un véritable partenariat avec les employés qui aura notamment pour effet de leur démontrer à quel point on tient à eux (Gordon et Lowe, 2002; Kaye et Jordan-Evans, 1999).

## Principes clés

Malgré leur pertinence, la mise en œuvre des stratégies précitées devrait reposer sur quelques principes de base en vue de leur garantir une certaine efficacité.

- Procéder d'abord par un diagnostic du problème de roulement afin de s'assurer que les interventions ou solutions adoptées soient bien arrimées aux causes de départ du personnel. Il serait illusoire d'investir dans un système sophistiqué d'incitations monétaires si les employés quittent parce qu'ils sont insatisfaits du style de gestion ou de leur relation avec leur supérieur immédiat.

- S'assurer que les interventions choisies sont alignées à la stratégie de gestion des ressources humaines et à la stratégie globale de gestion de l'entreprise.
- Éviter de recourir à des solutions toutes faites qu'on retrouve en abondance sur le marché et qui sont faciles à implanter; miser plutôt sur des stratégies à long terme qui passent en outre par la culture d'entreprise.
- Revisiter les modèles classiques de motivation et en particulier ceux qui concernent l'enrichissement du travail; se rappeler que les récompenses intangibles ont plus d'impact sur la rétention que les incitations monétaires.
- Comprendre et s'ajuster aux attentes, besoins et valeurs des générations X et Y qui sont déjà reconnues pour leur propension à la mobilité et auxquelles s'adresseront majoritairement les pratiques de rétention.
- Outre les stratégies plus «macro», miser sur les interventions «micro», c'est-à-dire les actions ou gestes posés au quotidien par le supérieur hiérarchique et qui ont un poids considérable dans le désir de conserver un emploi. Créer un climat de travail positif en traitant ses employés avec respect, dignité et équité représente un atout certain dans une perspective de rétention.
- S'inspirer des nouvelles approches en mobilisation au travail de façon à créer un engagement à l'organisation renouvelé qui sollicite la personne dans sa globalité, c'est-à-dire tête, cœur et âme y compris.
- Faire un suivi auprès des ex-employés et entretenir de bonnes relations avec eux.
- Opter pour la prévention; être en mesure de dépister les employés à haut risque de quitter; être à l'affût des premiers symptômes de frustration et de démotivation, tels que les comportements de retrait, de façon à pouvoir intervenir avant même que l'idée de changer d'emploi n'ait germé dans l'esprit de l'employé.

- Faire un suivi et une évaluation des actions qui auront été entreprises afin de s'assurer qu'elles contribuent réellement à augmenter le taux de rétention.

En bref, l'augmentation des départs volontaires est désormais considérée comme un phénomène inéluctable et, par conséquent, les organisations doivent apprendre à composer avec une main-d'œuvre de plus en plus mobile et volatile. Cela dit, les efforts doivent être investis non pas dans la perspective d'enrayer un problème inévitable mais dans le but de le réduire à un niveau acceptable et financièrement gérable pour l'entreprise. De plus, la gestion de la rétention nécessite un suivi rigoureux afin d'évaluer l'efficacité des mesures implantées en comparant notamment les coûts des stratégies de rétention à ceux qui sont générés par les départs volontaires.

Par ailleurs, la notion de rétention comporte en elle-même un piège insidieux en ce sens où les efforts ne devraient pas être déployés en vue de retenir ou garder à tout prix les employés, mais bien dans l'esprit de leur inculquer le goût de demeurer membres de l'organisation. En d'autres termes, il convient de mettre l'accent sur l'augmentation du niveau d'engagement et de satisfaction au travail plutôt que sur la réduction du taux de roulement. À ce titre, l'enjeu est de faire en sorte que les employés restent « pour les bonnes raisons » (Vandenberghe, 2004, p. 65) et non à cause des pertes qu'ils risquent de subir en quittant leur emploi. Comme le souligne judicieusement Paillé (2004), il s'agit d'inculquer une motivation profonde à rester et non de susciter une sorte de résignation à travers une loyauté déguisée. Qui plus est, la mise en œuvre de mesures destinées à retenir le personnel de valeur devrait s'appuyer sur une analyse rigoureuse des différents facteurs à l'origine des départs volontaires. Dans la prochaine section consacrée à la perspective individuelle de la rétention, nous verrons donc comment certaines personnes en viennent à manifester le désir de quitter leur emploi.

# Partie 2

## *Perspective individuelle : l'intention de départ*

Tel que nous l'avons mentionné précédemment, l'efficacité des stratégies de rétention dépend de leur arrimage aux causes de départ des employés. La gestion des départs volontaires devrait donc débuter par une compréhension articulée des facteurs susceptibles d'en expliquer l'occurrence. De toute évidence, le fait de savoir pourquoi les employés quittent une entreprise devrait favoriser la mise en place de mesures appropriées pour tenter de les conserver. Or, selon l'abondante littérature consacrée à la problématique des départs volontaires au cours des dernières décennies, le désir de quitter un poste s'avère le meilleur prédicteur du roulement du personnel (Sousa-Poza et Henneberger, 2004 ; Sager *et al.*, 1998 ; Vandenberg et Nelson, 1999 ; Steers et Mowday, 1981). De fait, nombre d'études ont démontré que l'idée de quitter son emploi joue un rôle plus important dans la décision de démissionner que certains comportements reliés au départ volontaire, tels que la recherche d'un nouvel emploi (Vandenberg *et al.*, 1994 ; Kopelman *et al.*, 1992, cités dans Vandenberg et Nelson, 1999).

En clair, cela signifie que la meilleure façon de comprendre ce qui amène les employés à quitter volontairement leur emploi consiste à s'intéresser d'abord à la façon dont cette idée a germé dans leur esprit. Ce constat, plus complexe qu'il ne paraît à première vue, soulève de nombreuses questions. Qu'est-ce qui peut inciter une personne à vouloir abandonner un emploi ? Quelles sont les attitudes et les motivations sous-jacentes à l'intention de départ ? Comment l'intention de quitter se transforme-t-elle en lettre de démission ? De quelle façon un employeur peut-il s'y prendre pour déceler une intention de départ chez un employé et éventuellement empêcher le passage à l'acte ?

En vue de répondre à ces interrogations, nous présenterons d'abord une brève définition du concept à l'origine des départs volontaires: l'intention de départ[8]. En second lieu, nous examinerons quelques-uns des facteurs susceptibles d'expliquer comment les pensées de départ se développent chez une personne. Il sera ensuite question des liens complexes et ambigus entre l'intention de départ et la décision de quitter un emploi. Pour conclure, nous suggérerons quelques pistes d'intervention pour permettre aux employeurs de détecter l'intention de départ avant qu'elle ne se traduise en démission.

## Définition du concept

L'intention de départ est généralement définie comme la probabilité subjective, telle qu'estimée par l'individu lui-même, de quitter son emploi dans un avenir rapproché (Mobley, 1982; Mowday *et al.*, 1982; Vandenberg et Nelson, 1999; Sousa-Poza et Henneberger, 2004). D'un point de vue strictement théorique, l'intention de départ correspond à une cognition, c'est-à-dire à une idée ou une pensée, qui se situe entre l'attitude qu'une personne manifeste en regard de son emploi et la décision de le quitter ou de le conserver (Sager *et al.*, 1998). Dans les recherches empiriques qui traitent de ce phénomène, l'intention de départ est généralement mesurée par les questions suivantes: «Avez-vous songé à quitter votre emploi au cours des X derniers mois?» ou «À quelle fréquence vous arrive-t-il de penser à quitter votre emploi?»

En raison de la subjectivité inhérente au concept et à sa mesure, l'intention de quitter ne représente pas un indice aussi précis pour estimer le nombre de départs dans une entreprise que le taux de roulement du personnel. Certes, bon nombre d'employés peuvent souhaiter mettre un terme à leur relation avec leur employeur, sans pour autant mener

8. Intention de départ: traduction de l'expression «*intention to quit*».

leur plan à exécution. Néanmoins, l'intention de départ s'est révélée comme étant le facteur qui permet le mieux d'expliquer et de comprendre le départ volontaire des employés. De plus, en se préoccupant des pensées qui peuvent entraîner le départ, l'entreprise se donne la possibilité d'intervenir avant que la décision de quitter se concrétise. En ce sens, l'identification des motifs qui sous-tendent l'intention de départ s'avère une étape incontournable dans l'implantation de toute stratégie visant à retenir le personnel de valeur.

Les études qui traitent de l'intention de départ permettent de regrouper les facteurs psychologiques qui prédisposent les employés à vouloir quitter leur emploi en deux grandes catégories. Les antécédents dits affectifs concernent les attitudes et les émotions vécues en emploi qui sont susceptibles de déclencher l'idée de partir. Les antécédents dits cognitifs renvoient à la composante intellectuelle de l'intention de départ, c'est-à-dire aux informations et aux perceptions, en l'occurrence celles qui concernent le marché de l'emploi, pouvant conduire une personne à vouloir offrir sa démission.

## Antécédents affectifs de l'intention de départ

### *Satisfaction au travail*

De toute évidence, le manque de satisfaction à l'endroit du travail peut activer les pensées de départ chez un employé. En fait, la relation entre la satisfaction au travail et le roulement du personnel représente un champ majeur de recherche en psychologie du travail[9]. Il a été démontré à maintes reprises et dans divers contextes que moins les individus sont satisfaits de leur emploi, plus leur désir de le quitter est élevé. En général, les études tiennent compte du

9. Voir Trevor, C.O. (2001) et Maertz, C.P. (2004), pour une synthèse de ces études.

caractère multidimensionnel de la satisfaction dans le sens où le concept est mesuré à la fois par un indice global et par des indices spécifiques, relativement à divers aspects du travail tels que les conditions de travail, le supérieur immédiat et le contenu des tâches. Les résultats de ces études révèlent généralement que tant le niveau de satisfaction globale que celui qui porte sur des aspects précis contribuent à prédire l'intention de départ et le départ volontaire.

Outre les dimensions classiques précitées, des études récentes ont fait ressortir des liens intéressants entre la satisfaction à l'endroit de la carrière et l'intention de départ (Carbery *et al.*, 2003, Houkes *et al.*, 2003; Tser-Yieth *et al.*, 2004; Bigliardi *et al.*, 2005). En particulier, la recherche longitudinale de Houkes *et al.* (2003) démontre que les déceptions vécues en rapport avec le déroulement de la carrière jouent un rôle plus important dans l'intention de quitter que le manque de motivation intrinsèque au travail. Ainsi, lorsque des employés réalisent que leurs opportunités de carrière au sein de l'entreprise sont limitées ou encore inexistantes, il s'ensuit ùune frustration qui se traduit en réaction de retrait et, éventuellement, en désir de changer d'emploi. Ce résultat digne d'intérêt permet de constater que la relation entre le degré de satisfaction retiré du travail et le désir de conserver son emploi s'étend à d'autres dimensions que l'emploi lui-même. De surcroît, comme nous le verrons plus loin, le manque de satisfaction relié à des aspects extérieurs au travail et à l'organisation peut également contribuer au désir de quitter un emploi.

### *Engagement à l'organisation*

En ce qui a trait aux liens entre l'engagement organisationnel et l'intention de départ, le modèle très connu de Meyer et Allen (1991) est sans contredit celui qui a donné lieu au plus grand nombre d'études. Ce modèle stipule notamment que trois formes d'engagement, soit l'engagement affectif, l'engagement normatif et l'engagement de continuité, contribuent chacune à leur manière à prédire l'intention de départ. L'engagement affectif par lequel l'individu s'identifie aux buts et aux valeurs de l'organisation l'incite à rester chez son employeur parce qu'il le désire. L'engagement normatif, qui repose sur une obligation morale de demeurer dans l'entreprise, fera en sorte que la personne maintiendra son lien d'emploi parce qu'elle se sent obligée de le faire. Enfin, l'engagement de continuité représente une forme d'attachement calculé qui encourage l'individu à demeurer dans l'organisation en raison des pertes ou sacrifices qu'il aurait à subir lors de son départ. Lorsque l'engagement de continuité est élevé, les employés sont portés à rester dans l'entreprise par besoin ou nécessité. Les travaux de Meyer et Allen ont démontré un lien négatif significatif entre chacune des trois formes d'engagement et le départ volontaire. Ainsi, plus un employé manifeste de l'attachement (affectif, normatif ou de continuité) envers son employeur, moins il exprime le désir de quitter son emploi. Bien que la conséquence soit la même, on comprendra facilement que l'engagement affectif et l'engagement normatif sont plus favorables à l'entreprise que l'engagement de continuité. En effet, dans ce dernier cas, l'employé voudra conserver son emploi davantage par dépit que par choix.

Outre l'engagement envers l'organisation, certains travaux montrent que l'engagement envers d'autres entités peut également influencer le désir de rester chez son employeur. Par exemple, l'engagement envers la profession (Irvin *et al.*, 1997, cités dans Mitchell *et al.*, 2001), envers la carrière (Cohn, 2000, cité dans Sousa-Poza et Henneberger, 2004) ou envers le supérieur immédiat (Stinglhamber et Vandenberghe, 2003) aurait une incidence sur le départ volontaire. Une étude a notamment permis de comparer le rôle joué par l'engagement affectif envers l'organisation au rôle joué par l'engagement affectif envers le supérieur immédiat, dans la décision de quitter un emploi (Stinglhamber et Vandenberghe, 2003). Fait étonnant, les résultats révèlent que seul l'attachement, ou précisément le manque d'attachement, envers le supérieur permet de prédire significativement le risque de départ. En plus de souligner l'importance de la qualité de la relation supérieur-subordonné, cette étude semble indiquer que l'attachement affectif à l'endroit de l'organisation ne représenterait plus une valeur aussi sûre que dans le passé eu égard à la rétention. Vandenberghe (2004) explique ce résultat par les changements dans l'univers du travail et dans les organisations qui ont eu pour effet de remettre en question la relation traditionnelle employeur/employé-e-s. Les fusions, rationalisations et changements de structure des dernières décennies auraient poussé les individus à tourner leur attention vers des sources plus accessibles et plus aptes à répondre à leurs attentes, dont le supérieur hiérarchique. De la même façon, on peut aisément concevoir que la profession et par extension la carrière deviennent des sources d'attachement plus stables et plus rentables pour les employés que leur entreprise.

## Antécédents cognitifs de l'intention de départ

La notion d'antécédents cognitifs en regard de l'intention de départ renvoie principalement aux informations ou plus exactement aux perceptions que les individus entretiennent quant à leurs possibilités d'emploi sur le marché du travail.

Selon Ajzen (1988), les employés ne manifesteront pas le désir de laisser leur emploi à moins qu'ils ne perçoivent des opportunités extérieures leur permettant de le faire. À cet égard, certains travaux nous apprennent que la volonté de conserver son emploi ne dépend pas strictement du degré de satisfaction ou d'engagement envers l'employeur, mais aussi des perceptions de l'individu concernant ses possibilités de décrocher un nouvel emploi advenant qu'il démissionne de son poste (Sousa-Poza et Henneberger, 2004). Suivant cette approche, la personne procéderait d'abord à une évaluation subjective de son potentiel de mobilité avant même de songer à quitter son emploi. Le modèle proposé par Steel (2002) porte précisément sur le processus cognitif en cause dans l'évaluation des perspectives d'emploi.

Cet auteur postule que les individus détiennent généralement certaines informations au sujet du marché de l'emploi et de leur valeur au sein de celui-ci, mais que ces informations demeurent plutôt vagues et imprécises. Certains d'entre eux seront incités à obtenir davantage d'informations et éventuellement à entamer une démarche concrète de recherche d'emploi si l'une des deux conditions suivantes se présentait (Steel, 2002, cité dans Vandenberghe, 2004). La première condition a trait à la possibilité de disposer de ressources financières autres que le salaire en cas de démission. Moins il peut compter sur d'autres ressources, plus l'individu sera enclin à s'engager activement dans un processus de recherche d'emploi, lorsqu'un problème d'insatisfaction au travail surviendra par exemple. Dans la deuxième condition, la personne reçoit spontanément des offres d'emploi non sollicitées qui lui donnent, *ipso facto*, des informations plus précises sur ses possibilités d'emploi. On comprendra ici que les employés productifs, qui de surcroît détiennent des compétences rares, sont plus susceptibles d'attirer l'attention et de se mériter des offres alléchantes. L'approche de Steel stipule donc que l'évaluation des possibilités d'emploi que la personne entreprend alors qu'elle est sollicitée par d'autres employeurs peut parfois donner lieu à des idées de départ non préméditées et non motivées par une insatisfaction au travail, mais néanmoins irréversibles. Certes, le fait d'être approché par un ou d'autres employeurs avant même de manifester le désir de changer d'emploi représente l'exception plutôt que la règle. Le modèle de Steel suggère toutefois l'idée intéressante, qui sera d'ailleurs reprise plus loin, que l'intention de partir puisse être provoquée par une situation extérieure au travail et à l'entreprise.

En résumé, il convient de retenir que le processus cognitif sous-jacent à l'intention de quitter est éminemment subjectif puisqu'il repose sur les perceptions que les individus se forgent concernant leur valeur sur le marché de l'emploi et leurs possibilités de retrouver un nouvel emploi. Steel (2004) soutient cependant que ces perceptions sont fondées sur les possibilités réelles d'emploi et notamment celles qui prévalent dans le segment du marché dans lequel la personne évolue. Cela dit, la question reste à savoir dans quelle mesure les cognitions sous-jacentes au désir de quitter vont contribuer ou non au départ de l'employé. C'est ce que nous verrons dans la partie qui suit.

## De l'intention de quitter au départ volontaire

Ce bref exposé des antécédents affectifs et cognitifs révèle que l'intention de départ peut être activée tantôt par un manque de satisfaction ou d'engagement au travail, tantôt par les perceptions que l'employé entretient concernant ses possibilités d'emploi. Conséquemment, il y a tout lieu de se demander comment ces différentes dimensions psychologiques interagissent pour déclencher l'idée de démissionner et éventuellement le départ. À partir du moment où l'idée de départ a germé dans l'esprit de l'employé, comment en vient-il à prendre la décision de quitter son emploi ? Est-ce qu'une intention de départ se traduit nécessairement par une lettre de démission ? La documentation qui traite du départ volontaire propose diverses explications en réponse à ces questions.

### *Le scénario classique du «push-pull»*

Selon cette approche développée dans les années 1950 par March et Simon (1958) et résumée par Yao *et al.* (2004), une personne en viendrait à démissionner en étant à la fois entraînée à l'extérieur de l'organisation à cause d'une situation insatisfaisante et attirée par le marché de l'emploi en raison des possibilités qu'elle y entrevoit. En d'autres termes, ce sont les attitudes, conjuguées aux possibilités d'emploi perçues, qui déclenchent l'intention de départ. Lorsque le désir de partir est amorcé, la personne s'engage alors dans une démarche de recherche d'emploi qui, lorsque fructueuse, la conduira éventuellement à quitter son poste (Mobley *et al.*, 1977, cités dans Mitchell *et al.*, 2001).

Ce scénario a guidé une abondance de recherches sur le départ volontaire qui ont abouti à des résultats significatifs mais plutôt modestes. Bien qu'il soit largement admis que les attitudes négatives et les perceptions relatives au marché de l'emploi aient un rôle à jouer dans le désir de quitter, ces dimensions psychologiques seraient, paradoxalement, beaucoup moins utiles pour comprendre ce qui se passe en cas de départ (Vandenberg et Nelson, 1999; Griffeth *et al.*, 2000; Yao *et al.*, 2004).

***Le scénario innovateur de l'encastrement «job embeddedness»***

En vue de dénouer l'impasse de l'approche classique, Lee *et al.* (1994) effectuent une recherche originale qui leur permettra d'identifier quatre cheminements différents pour expliquer le départ volontaire. Selon le cheminement le plus répandu, la majorité des gens qui démissionnent seraient 1) relativement satisfaits de leur emploi; 2) ne chercheraient pas un autre emploi avant de démissionner; 3) quitteraient en raison d'un événement subit (appelé un choc) et non parce qu'ils entretiendraient des attitudes négatives à l'égard de leur emploi. Qui plus est, le choc en question serait fréquemment relié à une circonstance n'ayant rien à voir avec le travail, la relocalisation d'un conjoint par exemple.

Ces résultats, pour le moins étonnants, conduisent Mitchell *et al.* (2001) à développer le concept d'encastrement «*job embeddedness*» pour tenter d'expliquer non pas ce qui pousse les employés à vouloir quitter leur emploi, mais bien ce qui les incite à demeurer dans leur entreprise. Ces auteurs utilisent la métaphore de la toile d'araignée pour illustrer le fait que les employés restent chez leur employeur parce qu'ils sont coincés dans un filet dont ils ne peuvent s'échapper (Yao *et al.*, 2004).

Selon ce concept imagé, une personne souhaiterait conserver son emploi parce qu'elle est solidement attachée à son milieu par les nombreux liens qu'elle a tissés, tant à l'intérieur qu'à l'extérieur de l'organisation. Un premier type de liens concerne le réseau de relations qu'elle développe au travail et dans sa communauté. Un deuxième type de liens renvoie au degré de compatibilité que la personne perçoit entre elle-même et divers aspects du travail d'une part (valeurs/culture; compétences/exigences de l'emploi), et son milieu de vie d'autre part (climat politique et religieux). Une troisième catégorie de liens réfère aux pertes et sacrifices que l'individu aurait à subir tant au travail (promotions, fond de retraite) qu'à l'extérieur du travail (accès d'une garderie, un centre sportif) en laissant son emploi. Chaque employé en viendrait donc à développer une configuration particulière de liens plus ou moins étroits qui aurait pour effet de le tenir captif dans son milieu, comme s'il y était «encastré».

Cette théorie est digne d'intérêt dans la mesure où elle change la perspective suivant laquelle la problématique du départ volontaire a été traditionnellement analysée. Au lieu de mettre l'accent sur les motifs qui poussent les employés à quitter, l'approche de Mitchell *et al.* (2001) déplace le point de mire vers les facteurs pouvant les inciter à demeurer dans l'entreprise. Cette conception nous amène également à considérer le fait qu'un départ puisse survenir non pas à la suite d'une situation vécue au travail, mais bien à cause d'un évènement extérieur qui viendrait, en quelque sorte, rompre un des liens. Autre constat notable, le départ ne serait pas nécessairement motivé par une attitude négative comme un manque d'engagement ou de satisfaction. En effet, l'élément déclencheur serait tantôt neutre, tantôt négatif ou encore positif (Lee et Mitchell, 1994).

Enfin, le scénario proposé par Mitchell *et al.* (2001) a certes pour mérite d'encourager une vision globale de la rétention, c'est-à-dire une vision qui tient compte à la fois de la vie au travail et hors travail. Du même coup, il invite l'employeur à faire la nécessaire mais difficile distinction entre les causes de départ qui sont sous son emprise de celles qui ne le sont pas. De même, le caractère subit, voire imprévisible du choc susceptible de déclencher l'intention de quitter impose une bonne dose de vigilance afin de pouvoir intervenir avant que l'inéluctable ne se produise.

### *Le rôle de la personnalité*

Sans prétendre à l'exhaustivité, les modèles présentés témoignent néanmoins de la diversité des approches qui visent à expliquer le départ volontaire. Notre bref exposé a notamment permis de mettre en exergue la relation complexe et subtile entre l'intention de départ et la décision de quitter un emploi. Comme nous l'avons vu, le départ peut être provoqué par une situation extérieure au travail, auquel cas il ne semble pas avoir été prévu ou planifié. Dans d'autres occasions, le désir de partir peut être très présent et motivé par une forte insatisfaction sans pour autant qu'il y ait démission.

Effectivement, nombreuses sont les personnes qui, à un moment ou à un autre de leur vie professionnelle, vont souhaiter mettre fin à leur relation avec leur employeur, sans nécessairement donner suite à leur intention. Allen (2004) rapporte même que la majorité des employés qui déclarent vouloir quitter leur poste ne le font pas. Qu'est-ce qui peut les retenir de le faire? De toute évidence, le taux de chômage et les perspectives d'emploi ont un rôle déterminant à jouer dans le départ volontaire. Nombre de travaux ont démontré l'impact du marché de l'emploi, en particulier du segment dans lequel une personne évolue, sur sa propension à quitter son poste (Trevor, 2001; Steel, 2004). Ainsi, certaines personnes se verront contraintes de demeurer dans leur entreprise parce que leurs démarches de recherche d'emploi auront échoué.

Outre cela, il convient d'envisager la possibilité que certaines dimensions liées à la personnalité prédisposent une personne à laisser son emploi, ou encore l'empêchent de le faire. Parmi celles-ci, la tolérance au risque est sans contredit un facteur de premier plan à considérer dans la relation complexe entre l'intention de quitter et la décision de partir.

Comme le souligne Allen (2004), toutes les décisions relatives au départ impliquent un niveau élevé de risque compte tenu des conséquences qu'elles peuvent entraîner et de l'incertitude qu'elles génèrent. Même dans le cas où l'individu s'est assuré de trouver un nouvel emploi avant de démissionner, la décision de partir demeure risquée. Qu'il s'agisse de l'incertitude face aux futurs collègues de travail, face aux possibilités de carrière ou encore la crainte d'être déçu ou insatisfait dans ses nouvelles fonctions, tout changement d'emploi comporte son lot d'inquiétudes et d'appréhensions. Par conséquent, la propension d'une personne à tolérer le risque peut avoir un impact sur la décision de partir ou rester. Moins cette tolérance est grande, plus l'employé hésitera à quitter en vue de se prémunir contre une déception ou un échec éventuel (Allen, 2004).

On peut s'attendre également à ce que les individus proactifs soient davantage portés à quitter leur poste, en cas d'insatisfaction par exemple, que les individus plus passifs. En effet, les individus proactifs ont généralement tendance à prendre les choses en mains et à adopter les moyens nécessaires pour régler leurs problèmes et atteindre leurs objectifs. Partant, ils seraient plus enclins de poser des actions pour servir leurs intérêts et faire progresser leur carrière telles que changer d'emploi (Allen, 2004).

Par ailleurs, les personnes dotées d'un lieu de contrôle externe et qui, de ce fait, ont l'impression d'avoir une faible emprise sur leur environnement seraient moins portées que celles ayant un lieu de contrôle interne à prendre d'elles-mêmes l'initiative de quitter leur employeur, lorsque le désir d'agir ainsi se manifeste (Vandenberg et Nelson, 1999 ; Allen 2004). De la même façon, les individus qui ont une faible estime d'eux-mêmes pourraient éviter un changement de poste par crainte de se replacer en situation d'échec.

Il appert donc que la personnalité ait un rôle à jouer dans le départ volontaire des employés. Nonobstant son importance, il ne faut pas perdre de vue que des caractéristiques démographiques (âge, ancienneté dans l'organisation, statut civil, scolarité) peuvent également interférer dans la relation entre l'intention et les comportements liés au départ. Par exemple, les individus âgés ayant cumulé plusieurs années d'ancienneté dans leur entreprise et qui ont peu de chance de décrocher un emploi en raison d'un faible taux de scolarité seraient peu enclins à offrir leur démission, ayant trop à perdre.

## Conclusion

Comme on peut le constater, plusieurs explications peuvent être avancées pour rendre compte du lien ténu entre l'intention de départ et le départ effectif. Outre celles-ci, on peut envisager l'hypothèse voulant que certains employés ne donneraient pas suite à leurs intentions parce que leur problème a été résolu et que, par conséquent, leur désir de quitter se soit résorbé. Cet argument, plutôt encourageant du point de vue de la gestion des ressources humaines, suggère que l'intention de quitter n'enclencherait pas automatiquement un processus de recherche d'emploi et de démission. Il serait donc possible, pour un employeur, de désamorcer une intention de départ par une intervention idoine avant qu'elle n'aboutisse à l'inéluctable. L'efficacité de l'intervention adoptée suppose néanmoins que les motivations sous-jacentes à l'intention de départ aient été bien cernées (Vandenberg et Nelson, 1999) et qu'elles relèvent de dimensions sur lesquelles l'employeur a un certain contrôle (Vandenberghe, 2004).

Mais, pour être en mesure d'agir, encore faut-il être capable de déceler l'intention de quitter lorsqu'elle se manifeste chez un employé. Or, l'intention de départ est un phénomène subtil et caché, difficilement accessible à l'observation, dont le dépistage exige une certaine vigilance de la part de l'employeur. Dans le cas où l'intention de départ découlerait d'une baisse du niveau de satisfaction ou encore d'un manque d'engagement envers l'organisation, l'employeur devra se montrer attentif aux changements de comportements ou à l'apparition de comportements de retrait associés à ces émotions négatives. Des absences répétées, qu'elles soient physiques ou psychologiques, un manque de collaboration et d'enthousiasme, une baisse des comportements de citoyenneté organisationnelle sont autant d'indices utiles pour repérer les employés à haut risque de quitter.

Par ailleurs, lorsque l'idée d'abandonner un poste n'est pas nécessairement motivée par une attitude négative mais plutôt par un processus d'évaluation des possibilités d'emploi, les signaux sont encore plus discrets et l'intention risque d'être révélée seulement lors de la démission. D'où l'importance d'agir de manière préventive en offrant des perspectives d'emploi attrayantes et compétitives à l'intérieur de l'entreprise. Comme nous l'avons vu précédemment, les pratiques liées au développement de la carrière représentent un levier de rétention non négligeable dans le contexte actuel d'accroissement de la mobilité. Nonobstant la pertinence de ce concept, les efforts de rétention doivent également être investis dans l'identification des facteurs qui peuvent inciter les individus à vouloir demeurer membres de leur entreprise. À cet égard, les nouvelles formes d'engagement au travail, les réseaux de relations dans et à l'extérieur de l'organisation, le style de vie équilibré représentent quelques filons à explorer, notamment auprès des travailleurs des générations montantes déjà réputés pour leur indépendance et leur propension à la mobilité.

Malgré l'importance de tous les facteurs examinés, il convient de considérer que d'autres dimensions liées aux transformations dans l'univers du travail et dans les organisations vont inciter de plus en plus de personnes à vouloir changer d'emploi, et ce, indépendamment de leur niveau de satisfaction ou d'engagement au travail. L'augmentation de la mobilité interfirmes est un phénomène désormais bien installé auquel les organisations doivent nécessairement s'ajuster, voire en tirer profit. Dans cette perspective, les dirigeants devraient se questionner sur les motifs qui incitent les nouvelles recrues à se joindre à leur entreprise plutôt qu'à une autre. Ils devraient aussi chercher à comprendre ce qui pousse certains employés à rester membres de l'organisation tandis que d'autres veulent la quitter. Enfin, les décideurs devraient se montrer ouverts à réintégrer d'ex-employés compétents en se préoccupant des raisons qui les incitent à revenir.

## Références


AJZEN, I. (1988). Attitudes, Personality and Behavior, Chicago: Dorsey.

ALLAIRE, Y., FIRSIROTU, M.E. (1993). L'entreprise stratégique: penser la stratégie, Boucherville, Québec: Gaétan Morin éditeur.

ALLEN, D.G. (2004). Explaining the link between turnover intentions and turnover, in R. Griffeth et P. Hom, (Eds), Innovative Theory and Empirical Research on Employee Turnover. Information Age Publishing, p. 35-53.

AMHERDT, C.H. (1999). Le chaos de carrière dans les organisations, Éditions Nouvelles.

BARUCH, Y. (2003). Career systems in transition: A normative model for organizational career practices. *Personnel Review*, 32 (1-2), 231-252.

BIGLIARDI, B., PETRONI, A., DORMIO, A.I. (2005). Organizational socialization, career aspirations and turnover intentions among design engineers. *Leadership and Organization Development Journal*, 26 (5-6), 424-442.

BOWEN, D.E., LEDFORD, G.E. (1991). Hiring for the organization, not the job. *Academy of Management Executive*, 5 (4), 35-51.

BRANHAM, L. (2006). The 7 Hidden Reasons Employees Leave: How to Recognize the Subtle Signs and Act Before it's too Late. New-York: Amacom.

BRETZ, R.D. Jr, JUDGE, T.A. (1994). Person-organization fit and the theory of work adjustment: implications for satisfaction, tenure and career success. Journal of Vocational Behavior, 44, 32-54.

CARBERY, R., GARAVAN, T.N., O'BRIEN, F., MC DONNELL, J. (2003). Predicting hotel manager's turnover cognitions. *Journal of Managerial Psychology*, 18 (7-8), 649-655.

CARDINAL, L., LÉPINE, I. (1998). La gestion individuelle de sa carrière dans l'optique d'une carrière éclatée, dans Travail et carrière en quête de sens, sous la direction de C. Lamoureux et E. Morin, coll. Gestion des paradoxes dans les organisations, Éditions Inter-Universitaires, Québec, Actes du 9e Congrès International de Psychologie du travail de langue française, Sherbrooke, août 1996, p. 267-272.

CHATMAN, J. (1991). Matching people and organizations: Selection and socialization in public accounting firms. *Administrative Science Quaterly*, 36, 459-484.

CSIKSZENTMIHALYI, M. (1990). *Flow: The Psychology of Optimal Experience*, New York: Harper Perrenial/Harper Collins.

CSIKSZENTMIHALYI, M. (2004). *Vivre: la psychologie du bonheur*, Paris: Robert Laffont.

GARGER, E. M. (1999). Holding on to high performers: a strategic approach to retention. *Compensation and Benefits Management*, 15 (4), 10-17.

GORDON, J., LOWE, B. (2002). Employee retention: approaches for achieving performance ojectives. *Journal of American Academy of Business*, 1 (2), 201-206.

GRIFFETH., R.W., HOM, P.W., GAERTNER, S. (2000). A meta-analysis of antecedents and correlates of employee turnover: Update, moderator tests, and research implications for the next millennium. *Journal of Management*, 26, 463-488.

HACKMAN, J.R., OLDHAM, G.R. (1980). *Work Redesign*. Reading, Ma: Addison-Wesley.

HOUKES, I., JANSSEN, P.P.M., DE JONGE, J., BAKKER, A.B. (2003). Specific determinants of intrinsic work motivation, emotional exhaustion and turnover intention: A multisample longitudinal study. *Journal of Occupational and Organisational Psychology*, 76, 427-444.

KAYE, B., JORDAN-EVANS, S. (1999). *Love'em or Lose'em; Getting Good People to Stay*, San Francisco: Berrett - Kochler Publishers inc.

KRISTOF, A.L. (1996). Person-organization fit: an integrative review of its conceptualizations, measurement, and implications. *Personnel Psychology*, 49, 1-49.

LEE, T.W., MITCHELL, T.R. (1994). An alternative approach: The unfolding model of voluntary employee turnover theory. *Academy of Management Review*, 19, 51-89.

MAERTZ, C.P. Jr. (2004). Five antecedents neglected in employee turnover models: identifying theoretical linkages to turnover for personality, culture, organizational performance, occupational attachment, and location attachment, in R. Griffith et P. Hom (Eds), Innovative Theory and Empirical Research on Employee Turnover. Information Age Publishing, p. 105-152.

MATHIEU, A. (2001). Employeurs de choix, employés de talent. *Effectif*, 4 (5) , 44-48.

MEYER, J., ALLEN, M. (1991). A three component conceptualisation of organizational commitment. *Human Resource Management Review*, 1 (1), 61-89.

MITCHELL, T.R., HOLTOM, B.C., LEE, T.W., SABLYNSKI, C.J., EREZ, M. (2001). Why people stay: using job embeddedness to predict voluntary turnover. *Academy of Management Journal*, 44 (6), 1102-1122.

MOBLEY, W. H. (1982). Employee Turnover: Causes, Consequences and Control. Reading: Addison-Wesley.

MOWDAY, R.T., PORTER, L.W., STEERS, R.M. (1982). Employee-Organization Linkages: The Psychology of Commitment, Absenteeism and Turnover, New York: Academic Press.

NADEAU, N. (1999). L'étude des pratiques visant la rétention du personnel de valeur à l'intérieur de grandes entreprises québécoises dans un contexte de rationalisation d'effectifs, mémoire de maîtrise inédit, Université du Québec à Montréal.

O'REILLY, C.A. III, CHATMAN, J., CALDWELL, D.F. (1991). People and organizational culture: a profile comparison approach to assessing person- organization fit. *Academy of Management Journal*, 34, 487-516.

PAILLÉ, P. (2004). La fidélisation des ressources humaines. Éditions Economica.

PLOURDE, L., HÉON, F. (2004). Reconnaître les personnes, les aider à se reconnaître. *Effectif*, 7 (2), 32-34.

RAMLALL, S. (2004). A review of employee motivation theories and their implications for employee within organizations. *Journal of American Academy of Business*, 5 ( 1-2), 52-64.

RICHER, D. (2004). L'attraction et la rétention de la main-d'œuvre. *Effectif*, 7 (3), 28- 31.

SAGER, J.K., GRIFFETH, R.W., HORN, P.W. (1998). A comparison of structural models representing turnover cognitions. *Journal of Vocational Behavior*, 53, 254-273.

ST-ONGE, S., AUDET, M., HAINES, V., PETIT, A. (2004). Relever les défis de la gestion des ressources humaines, Gaétan Morin éditeur.

SAVARD, A. (2003). La reconnaissance, un remède éprouvé contre le mal d'être au travail. *Effectif*, 6 (4), 44-46.

SOUSA-POZA, A., HENNEBERGER, F. (2004). Analysing job mobility with job turnover intentions: an international comparative study. *Journal of Economic Issues*, 38 (1), 113-138.

STEEL, R.P. (2002). Turnover theory at the empirical interface: Problems of fit and functions. *Academy of Management Review*, 27, 346-360.

STEEL, R.P. (2004). Job markets and turnover decisions, in R. Griffeth et P. Hom, (Eds), Innovative Theory and Empirical Research on Employee Turnover. Information Age Publishing, p. 73-82.

STEERS, R.M., MOWDAY, R. (1981). Employee turnover and post decision accommodation process, in L. Cummings et B. Staw (Eds), Research in Organizational Behavior (vol. 3). Greenwich, CT: Jai Press, p. 233-281.

STINGLHAMBER, F., VANDENBERGHE, C. (2003). Organizations and supervisors as sources of support and targets of commitment: a longitudinal investigation. *Journal of Organization Behavior*, 24, 251-270.

THE HARVARD BUSINESS ESSENTIALS SERIES (2002). Hiring and Keeping Best People. Boston/Massachusetts, Harvard Business School Press.

TREVOR, C.O. (2001). Interactions among actual ease-of-movement determinants and job satisfaction in the prediction of voluntary turnover. *Academy of Management Journal*, 44 (4), 621-639.

TSER-YIETH, C., PAO-LONG, C., CHIAN-WEN, Y. (2004). A study of career needs, career development programs, job satisfaction and the turnover intentions of R and D personnel. *Career Development International*, 9 (4-5), 424.

YAO, X, LEE, T. W., MITCHELL, T.-R., BURTON, J.P. SABLYNSKI, C.J. (2004). Job embeddedness, current research and future directions, in R. Griffeth et P. Hom, (Eds), Innovative Theory and Empirical Research on Employee Turnover. Information age Publishing, p. 153-187.

VANDENBERG, R.J., NELSON, J.B. (1999). Disaggregating the motives underlying turnover intentions: When do intentions predict turnover behavior? *Human Relations*, 52 (10), 1313-1337.

VANDENBERG, R.J., SELF, R.M., SEO, J.H. (1994). A critical examination of the internalization, identification and compliance commitment measures. *Journal of Management*, 20, 123-140.

VANDENBERGHE, C. (2004). Conserver ses employés productifs: nature du problème et stratégies d'intervention. *Gestion*, 29 (3), 64-72.